Tafel V.

Tafel V.

Karten der Philippinenbrücke.

Fig. 13. **Celebes, Philippinen, Borneo**, p. 119 (der Nachweis auf Sangi ist bis jetzt nur für Lachesis Wagleri geliefert).

Reptilien u. Amphibien:

Rana leytensis Böttg., (Palawan fraglich). p. 72, 74, 78, 79.

Rana palavanensis Blgr., (auf den Philippinen nur auf Palawan nachgewiesen), p. 72, 74, 78, 79.

Rana Everetti Blgr., p. 72, 74, 78, 79.

(Diese drei Frösche sind nur von Nord-Borneo bekannt.)

Pseudorhabdium longiceps (Cant.), p. 71, 73, 78, 79.

Lachesis Wagleri (Boie), p. 72, 74, 78, 79.

(Diese beiden Schlangen kommen ausser auf den Philippinen u. Borneo auch auf Sumatra u. der malayischen Halbinsel vor.)

Fig. 14. **Nord- u. West-Celebes, Philippinen, Nord-Borneo**, p. 120.

Megapodius Cumingi Dillw., p. 98.

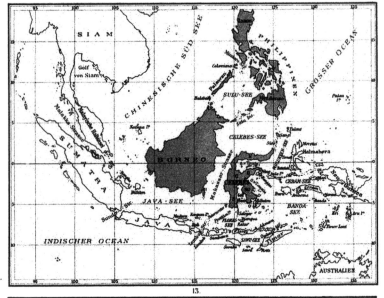

13.

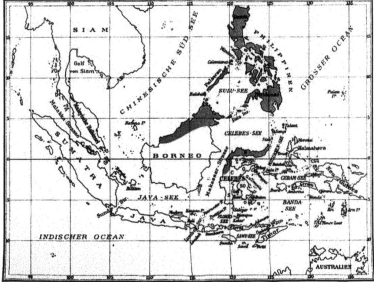

14.

C. W. Kreidel Verlag Wiesbaden   Lith. Anst. v. Werner & Winter, Frankfurt a. M.

Tafel VI.

Tafel VI.

Karten der Philippinenbrücke.

Fig. 15. **Celebes u. Philippinen,** p. 120 (der Nachweis auf Sangi u. Talaut steht für die meisten Arten noch aus).

Reptilien:

Lygosoma fasciatum Petrs., p. 70, 78, 79.

Tropidophorus Grayi Gthr., p. 70, 78, 79.

Coluber erythrurus (D. u. B.) (auch Palawan u. Sulu), p. 71, 78, 79.

Dendrelaphis terrificus (Petrs.) p. 71, 78, 79.

Vögel:

Culicicapa helianthea (Wall.) (auch Saleyer, Palawan u. Sulu), p. 98.

Fig. 16. **Central- u. Nord-Celebes u. Philippinen,** p. 120 (der Nachweis auf Sangi u. Talaut steht noch aus).

Mollusken:

Helicina citrinella v. Mölldff. u. var. celebica SS., p. 24, 41.

Helicina lazarus Sow. (auch Sulu), p. 24, 41.

Obba Listeri (Gray), p. 24, 41.

Melania asperata Lam. u. var. celebicola SS., p. 23, 41 (Grenze von Central- u. Südost-Celebes).

Fig. 17. **Nord-Celebes u. Philippinen,** p. 120 (der Nachweis auf Sangi u. Talaut steht theilweise noch aus).

Mollusken:

Obba marginata (Müll.) u. var. sororcula Marts. (auch Sulu), p. 22, 41.

Melania costellaris Lea, p. 22, 41.

Vivipara costata (Q. G.), p. 22, 41.

Vögel:

Chaetura celebensis (Scl.), p. 98.

Calornis panayensis (Scop.), typische Form (auch Sulu), p. 98, 103.

Fig. 18. **Celebes u. Sangi,** p. 120.

Reptilien:

Lygosoma infralineolatum (Gthr.), p. 70, 79.

Vögel:

Strix flammea Rosenbergi (Schl.), p. 98.

Prioniturus platurus (Vieill.), (auch Talaut), .p. 98.

Graucalus leucopygius Bp., p. 98.

Dicrurus leucops Wall. u. var. axillaris (Salvad.), p. 98.

Fig. 19. **Nord-Celebes u. Sangi,** p. 120.

Mollusken:

Obba mamilla (Fér.) u. var., p. 22, 41, 43.

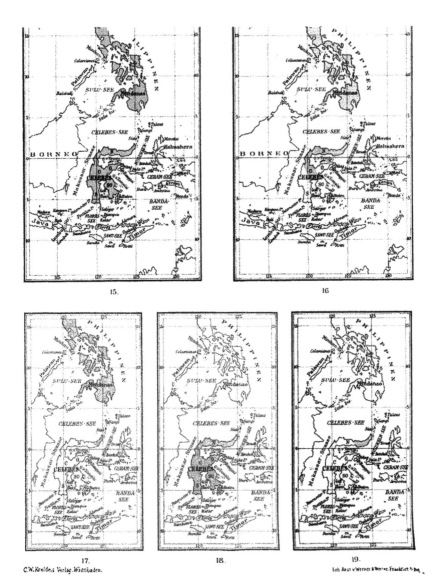

15.

16

17.

18.

19.

C.W. Kreidens Verlag. Wiesbaden.

Inh Aust v Werner & Winter. Frankfurt h M

Tafel VII.

Tafel VII.

Karten der Molukkenbrücke.

Fig. 20. **Celebes, Molukken, Neu-Guinea,** p. 120 (der Nachweis auf den Sula-Inseln u. Sangi ist noch nicht bei allen Arten erbracht).

Reptilien:

Enygrus carinatus (Schn.) (ostwärts bis zu den Salomonen u. Palaus reichend), p. 71, 80.

Dipsadomorphus irregularis (Merr.) (ostwärts bis zu den Salomonen), p. 71, 79, 80.

Vögel:

Alcedo moluccana (Less.) (ostwärts bis zu den Salomonen reichend, südwärts bis Djampea-Kalao), p. 97, 98, 99.

Cyrtostomus frenatus (S. Müll.), (bis Nord-Australien), p. 99.

Fig. 21. **Central- u. Ost-Celebes, Molukken, Neu-Guinea,** p. 120.

Mollusken:

Cyclotus guttatus Pfr. (Ost-Celebes noch nicht sicher), p. 24, 44, 45.

Nanina (Xesta) citrina (L.) u. var. fulvizona (Mouss.) (Ost-Celebes noch nicht sicher), p. 24, 44, 45.

Vögel:

Hermotimia auriceps (G. R. Gray), Ost-Celebes (Neu-Guinea fraglich), p. 99.

20.

21.

C. W. Kreidel Verlag, Wiesbaden.   Lith Anst.v. Werner & Winter, Frankfurt a.M.

Tafel VIII.

Tafel VIII.

Karten der Molukkenbrücke.

Fig. 22. **Celebes u. Nördliche Molukken**, p. 120, (der Nachweis auf Sula steht noch bei allen hier aufgeführten Arten aus).

Mollusken:
Vaginula djiloloensis Simr., Halmahera, p. 24, 44, 45.

Reptilien:
Testudo Forstenii Schl. u. Müll., Halmahera, p. 69, 80.
Zamenis dipsas (Schl.), Halmahera, p. 71, 80.

Vögel:
Surniculus Musschenbroeki A. B. M., Batjan, p. 99.

Fig. 23. **Nord-Celebes u. Molukken**, p. 120.

Mollusken:
Trochomorpha (N.) ternatana (Guill.), Nördliche Molukken, p. 22, 44, 45, 50.
Chloritis biomphala (Pfr.), Ceram, p. 22, 44, 45, 50.

Fig. 24. **Peling-Banggai, Sula-Inseln u. Molukken**, p. 121.

Vögel:
Pachycephala clio Wall., Buru, p. 99.
Edoliisoma obiense Salvad., Obi, p. 99.
Dicrurus pectoralis Wall., Obi, p. 99.
Ptilopus chrysorrhous (Salvad.), Ceram, p. 99.

Fig. 25. **Celebes, Peling-Banggai u. Sula-Inseln**, p. 121.

Vögel:
Spilornis rufipectus J. Gd. u. var. sulaensis (Schl.), p. 100.
Spizaetus lanceolatus Temm. Schl., p. 100.
Baza celebensis Schl., p. 100.
Cacomantis virescens (Brügg.), p. 100.
Pelargopsis melanorhyncha (Temm.) u. var. eutreptorhyncha Hart., p. 100.
Macropteryx Wallacei (J. Gd.), p. 100.
Hypothymis puella (Wall.) u. var. Blasii Hart., p. 100.
Lalage leucopygialis Tweedd., p. 100.
Artamus monachus Bp., p. 100.
Osmotreron Wallacei Salvad. (var. auf Djampea-Kalao, p. 97), p. 100.
Carpophaga paulina (Bp.), p. 100.
Myristicivora luctuosa (Temm.), p. 100.
Turacaena manadensis (Q. G.), p. 100.

Fig. 26. **Nord- u. Ost-Celebes, Peling-Banggai u. Sula-Inseln**, p. 121.

Vögel:
Graucalus Temmincki (S. Müll.), p. 100.
Calornis sulaensis Sharpe, (Ost-Celebes), p. 100, 103.
Rallina minahassae Wall., (Nord- u. West-Celebes), p. 100.

Fig. 27. **Peling-Banggai u. Sula-Inseln**, p. 121.

Vögel:
Accipiter sulaensis (Schl.), p. 100.
Loriculus Sclateri Wall. u. var. rubra M. u. Wg., p. 100.
Aprosmictus sulaensis Rchw., p. 100.
Graucalus schistaceus (Sharpe), p. 100.
Dicaeum sulaense Sharpe, p. 100.
Zosterops subatrifrons M. u. Wg., p. 100.
Iole longirostris (Wall.), p. 100.
Basileornis galeatus A. B. M., p. 100.
Oriolus frontalis Wall., p. 100.

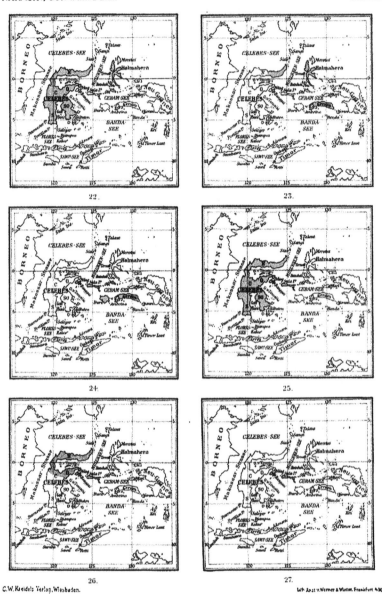

22.   23.

24.   25.

26.   27.

C.W. Kreidels Verlag, Wiesbaden.   Lith Anst. v.Werner & Winter, Frankfurt a.M.

Tafel IX.

Tafel IX.

Karten der Java- und Floresbrücke.

Fig. 28. **Celebes, Java, Sumatra, Borneo, Hinterindien u. kleine Sunda-Inseln,** p. 121.

Mollusken:

Limnaea javanica Mouss., (Hinterindien fraglich), p. 25, 31, 33, 36.

Amphibien:

Bufo biporcatus Schi., (in den kleinen Sunda-Inseln erst auf Lombok nach-
gewiesen), p. 72, 74, 76.

Callula pulchra Gray, (Java u. Borneo noch unsicher, im kleinen Sunda-Gebiete
erst von Flores bekannt), p. 72, 74, 76.

Vögel:

Muscicapula hyperythra (Blyth), (in den kleinen Sunda-Inseln von Bali bis
Sumbawa bekannt), Meyer u. Wiglesw., 135, p. 366.

Fig. 29. **Celebes, Java u. kleine Sunda-Inseln,** p. 121.

Amphibien:

Rana microdisca Böttgr., (im kleinen Sundagebiet erst von Flores bekannt, auf
Djampea-Kalao noch nicht nachgewiesen; ausser auf Java auch auf den
Mentawei-Inseln bei Sumatra vorkommend), p. 72, 74, 76.

Vögel:

Ptilopus melanocephalus (Forst.), (auf Celebes selbst noch nicht, sondern
auf Saleyer nachgewiesen), p. 96.

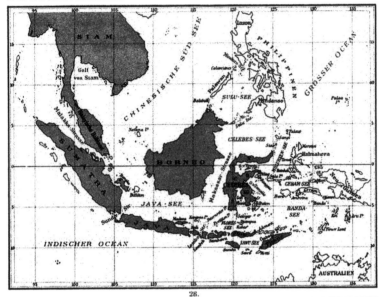

28.

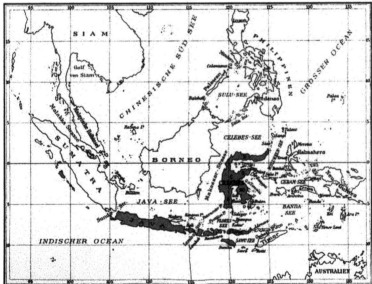

29.

C. W. Kreidels Verlag Wiesbaden.   Lith Anst v Werner & Winter Frankfurt aM

Tafel X.

Tafel X.

Karte der Java- und Philippinenbrücke.

Fig. 30. **Celebes, Java, Sumatra, Philippinen, Borneo u. Hinterindien**, p. 121, 122.

    Mollusken:

Ampullaria scutata Mouss., (auch von Bali bekannt), p. 25, 31, 41.

Melania riqueti Grat., (erst im südlichen Celebes nachgewiesen), p. 23, 30, 41, 42.

Planorbis compressus Hutt., (ebenso, Borneo fraglich), p. 23, 31, 41, 42.

    Reptilien u. Amphibien:

Lygosoma chalcides (L.), (auf Celebes selbst noch nicht, sondern auf Saleyer
    nachgewiesen, Borneo zweifelhaft), p. 70, 73, 78.

Dipsadomorphus dendrophilus (Boie), p. 71, 73, 78.

Chrysopelea ornata (Shaw), p. 71, 74, 78.

Naia bungarus Schl., p. 72, 74, 78.

Rana erythraea (Schl.), p. 72, 74, 78.

    Vögel:

Elanus hypoleucus J. Gd., M. u. Wg., 135, p. 62.

Karte der Java- und Molukkenbrücke.

Fig. 31. **Celebes, Java, Sumatra, Borneo, Hinterindien, Sangi u. Nördliche Molukken**, p. 122.

    Reptilien:

Cylindrophis rufus (Laur.), (in den Molukken von Batjan bekannt), p. 71, 73,
    79, 80, 81.

Tropidonotus trianguligerus Boie, (von Ternate bekannt), p. 71, 73, 79, 80, 81.

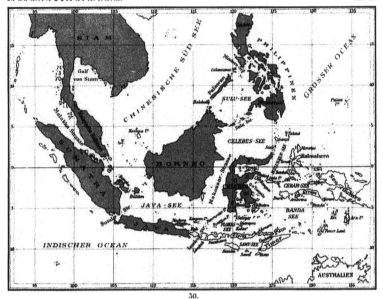

30.

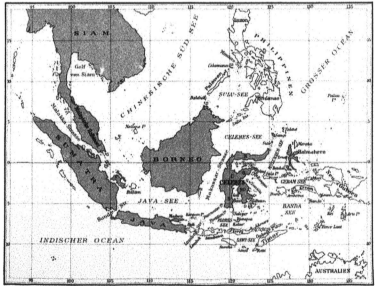

C.W.Kreidel. Verlag, Wiesbaden.   Lith. Anst. v.Werner & Winter, Frankfurt a.M.

31.

Tafel XI.

Tafel XI.

Karten der Java- und Molukkenbrücke.

Fig. 32. **Süd-, Central- u. Nördliches Südost-Celebes, Bali, Java, Sumatra, Borneo, Amboina, Ceram**, p. 122.

Mollusken:

Vivipara javanica (Busch), p. 24, 31, 36, 44, 50.

Fig. 33. **Celebes, Java u. Nördliche Molukken**, p. 122.

Reptilien:

Typhlops ater Schl., p. 70, 73, 80, 81.

Tropidonotus subminiatus Schl., (auch auf dem asiatischen Festland nachgewiesen), p. 71, 73, 80, 81.

32.

33.

Tafel XII.

Tafel XII.

Karten der Flores- und Philippinenbrücke.

Karten der Flores- und Molukkenbrücke.

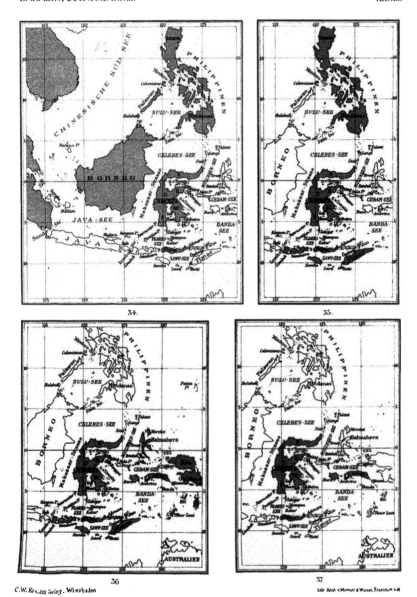

Tafel XIII.

Tafel XIII.

Karten der Philippinen- und Molukkenbrücke.

Fig. _ _ **Celebes, Philippinen, Borneo, Sumatra, Hinterindien u. Molukken**, p. _ :
      Reptilien:
Cyclemys amboinensis (Daud.), p. _, _. , _ . . , _
      Hieber auch von Mollusken die in Sumatra und Hinterindien fehlende:
Kaliella doliolum (Pfr.), (Nord-Celebes, Philippinen, Sulu, Borneo, Marianen,
      Carolinen u. Banda), p. , _ , , . . , . .

Fig. 39. **Celebes, Philippinen, Molukken u. Neu-Guinea**, p. _ _.
          Mollusken:
Helicina parva Sow., (in den Molukken bis jetzt nur von Batjan u. Halmahera
      bekannt), p. , . , . . , . .
          Reptilien:
Lygosoma atrocostatum (Less.), (bis Nord-Australien reichend), p. , . , . _ .
          , _ .

Fig. _ _ . **Celebes, Philippinen u. Molukken**, p. _
          Mollusken:
Clausilia moluccensis Marts. (incl. cumingiana), (in den Molukken von
      Ternate u. Halmahera, auch v. Talaut bekannt), p. . , ... _ _ _ .
          Reptilien u. Amphibien:
Lophura amboinensis (Schloss.), p. _ . , . _ , . . _ _
Rana varians Blgr., (in den Molukken bis jetzt nur von Batjan bekannt, auch
      in Palawan), p. _ . , . . ' . _ _

Fig. _ _ . **Celebes, Sangi, Talaut u. Sula-Inseln**, p. _ . _ .
          Vögel:
Tanygnathus Mülleri (Müll. Schl.) u. var. sangirensis M. u. Wg., p. . , _ _ .
Halcyon coromanda rufa (Wall.), p. , . , _ _ _ .
Macropygia albicapilla Bp. _ . var. sangirensis (Salvad.), p. . , . _ _ .

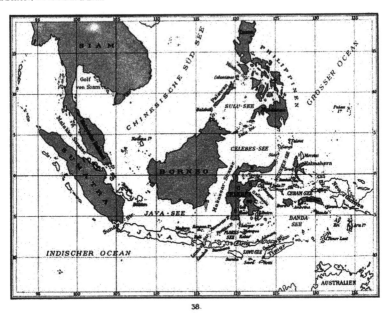

38.

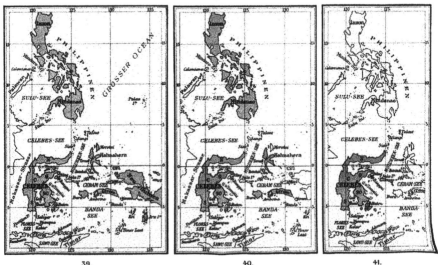

39.　　　　　　　　　40.　　　　　　　　　41.

C.W. Kreidels Verlag, Wiesbaden.　　　　　　　　　　Lith, Anst. v. Werner & Winter. Frankfurt ª/M.

Tafel XIV.

Tafel XIV.

Karte der Java-, Flores- und Philippinenbrücke.

Fig. 42. **Celebes, Java, Sumatra, Borneo, Hinterindien, Philippinen u. kleine Sunda-Inseln,** p. 123.

Reptilien u. Amphibien:

Gecko verticillatus Laur., (bis Timorlaut gehend), p. 69, 73, 75, 78.

Varanus salvator (Laur.). (auf Timor fraglich), p. 70, 73, 75, 78.

Lycodon aulicus (L.), (auf Borneo fraglich), p. 71, 73, 76, 78.

Psammodynastes pulverulentus (Boie), p. 71, 73, 76, 78.

Rhacophorus leucomystax (Gravh.), (im kleinen Sundagebiet erst auf Sumba nachgewiesen), p. 72, 74, 76, 79.

Callula baleata (S. Müll.), (im kleinen Sundagebiet erst auf Sumba nachgewiesen, Hinterindien fraglich), p. 72, 74, 76, 79.

Vögel:

Muscicapula Westermanni Sharpe, (erst im südlichen Celebes nachgewiesen, M. u. Wg., 135, p. 365).

Osmotreron vernans (L.), (im kleinen Sundagebiet erst auf Lombok u. Sumbawa nachgewiesen, auch auf Kangean, M. u. Wg. 135, p. 599).

Karte der Flores-, Philippinen- und Molukkenbrücke.

Fig. 43. **Celebes, kleine Sunda-Inseln, Philippinen, Borneo, Molukken u. Neu-Guinea,** p. 123.

Reptilien:

Lygosoma variegatum Petrs., (im kleinen Sundagebiet erst auf Timor nachgewiesen), p. 70, 73, 75, 78, 80, 82.

Lygosoma smaragdinum (Less.), (in Borneo noch nicht nachgewiesen), p. 70, 75, 78, 80, 82.

+2.

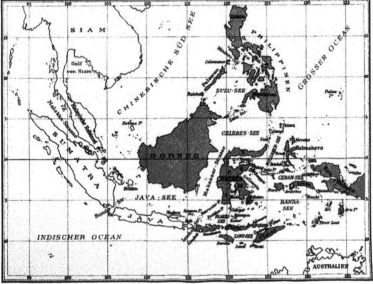

45.

C. W. Kreidel's Verlag Wiesbaden   Lith. Anst. v. Werner & Winter, Frankfurt a.M.

Tafel XV.

Tafel XV.

Karte der Java-, Flores-, Philippinen- und Molukkenbrücke.

Fig. 44. **Celebes, Java, Sumatra, Borneo, Hinterindien, kleine Sunda-Inseln, Philippinen u. Molukken, p. 124.**

Reptilien u. Amphibien:

Gecko monarchus (Schl.), (im kleinen Sundagebiet fraglich), p. 69, 73, 78, 80, 82.

Calotes cristatellus (Kuhl), (von Bali bis Flores noch nicht bekannt), p. 70, 73, 75, 78, 80, 82.

Mabuia multifasciata (Kuhl), p. 70, 73, 75, 78, 80, 82.

Typhlops braminus (Daud.), p. 70, 73, 75, 78, 80, 82.

Python reticulatus (Schn.), p. 70, 73, 75, 78, 80, 82.

Dendrophis pictus (Gm.), p. 71, 73, 76, 78, 80, 82.

Dryophis prasinus Boie, (in den Molukken bis jetzt nur in Ternate, im kleinen Sundagebiete erst in Lombok nachgewiesen), p. 71, 73, 76, 78, 80, 82.

Rana tigrina Dand., p. 72, 74, 76, 78, 80, 82.

Fig. 45. **Celebes u. Borneo, p. 124.**

Diese Karte gilt nach unserer heutigen Kenntniss für keine einzige Mollusken-, Amphibien-, Reptilien-, Vögel- oder Säugethierspecies (vergl. p. 32, 74, 96, 106).

Lightning Source UK Ltd.
Milton Keynes UK
UKHW022232140219
337291UK00006B/161/P

9 780260 162809

1 MONTH OF
FREE
READING

at

www.ForgottenBooks.com

By purchasing this book you are eligible for one month membership to ForgottenBooks.com, giving you unlimited access to our entire collection of over 1,000,000 titles via our web site and mobile apps.

To claim your free month visit:

www.forgottenbooks.com/free987884

ISBN 978-0-332-68205-1
PIBN 10987884

Im Verlage von **Hermann Coſtenoble** in Jena erſchienen ferner folgende neue Werke:

Fiſcher, Dr. Wilhelm, Holländiſche Geſchichten. Novellen. 3 Bde. 8. broch. 3 Thlr.

Guſeck, Bernd v., Der ſchlimmſte Feind. Hiſtoriſcher Roman. (Unterhaltungs=Bibliothek für Reiſe und Haus V. Band.) Zwei Theile in einem Band. (Mit beſonderem Doppeltitel.) 8. In eleg. Bunt=druck=Umſchlag. broch. 22½ Sgr.

Gerſtäcker, Friedrich, Nach dem Schiffbruch. Nordauſtraliſche Abenteuer. (Unterhaltungs=Bibliothek für Reiſe und Haus VI. Band.) 8. In eleg. Buntdruck=Umſchlag. broch. 10 Sgr.

Gerſtäcker, Friedrich, Das Wrack des Piraten. Erzählung. (Unterhaltungs=Bibliothek für Reiſe und Haus VII. Band.) 8. In eleg. Buntdruck=Umſchlag broch. 15 Sgr.

Erneſti, Luiſe, Todtes Capital. Roman. 4 Bde. 8. broch. 4 Thlr.

Fels, Egon, Loreley. Roman. 4 Bde. 8. broch. 5½ Thlr.

König, E. A., Die Geheimniſſe einer großen Stadt. Roman. 3 Bde. 8. broch. 4 Thlr.

Klinck, F., Unter dem letzten Welfenkönig. Roman aus der jüngſten Vergangenheit. 2 Bde. 8. broch. 3 Thlr.

Gerſtäcker, Friedrich, Die Blauen und Gelben. Venezuelaniſches Charakterbild aus der letzten Revolution von 1868. 3 Bde. 8. broch. 4¼ Thlr.

Van mienen Keenich Willem, Van'n oll'n Nümärker. 8 broch. 1. u. 2. Aufl. 1¼ Thlr.

☞ **Schnell hinter einander erſchienen zwei Auflagen!**

Köller, Eduard, Klatschereien. Drei Geschichten. 8. broch. 1½ Thlr.

Pasqué, Ernst, Drei Gesellen. Eine heitere und ernste Erzählung. 4 Bde. 8. eleg. broch. 4½ Thlr.

Hayes, Dr. J. J., Das offene Polar-Meer. Eine Entdeckungsreise nach dem Nordpol. Aus dem Englischen von J. E. A. Martin, Custos der Universitäts-Bibliothek zu Jena. Nebst 3 Karten und 6 Illustrationen in Holzschnitt. (Bibliothek geogr. Reisen I. **Bd.**) Lex.-8. Eleg. broch. 1⅔ Thlr.

Külb, Ph. H., Fernand Mendez Pinto's abenteuerliche Reise durch China, die Tartarei, Siam, Pegu und andere Länder des östlichen Asiens. (Bibliothek geogr. Reisen II. **Bd.**) Lex.-8. Eleg. broch. 1⅔ Thlr.

Baker, Samuel White, Der Albert N'yanza, das große Becken des Nil und die Erforschung der Nilquellen. Autorisirte vollständige Ausgabe für Deutschland. Aus dem Englischen von J. E. A. Martin, Custos der Universitäts-Bibliothek zu Jena. Mit 33 Illustrationen in Holzschnitt und 1 Karte. **Zweite Auflage, wohlfeile Volksausgabe.** (Bibliothek geogr. Reisen III. **Bd.**) Lex.-8. Eleg. broch. 1⅔ Thlr.

Heuglin, M. Th. von, Reise nach Abessinien, den Gala-Ländern, Ost-Sudan und Chartum in den Jahren 1861 und 1862. Nebst 10 Illustrationen in Farbendruck und Holzschnitt, ausgeführt von J. M. Bernatz, einer lith. Taf. und Originalkarte. Groß-Lex.-8. eleg. Ausstattung. 5 Thlr.

Wat möt, dat möt.

Erster Band.

Wat möt, dat möt.

Ene luftige Geschichte

in nieder-sächsischer Mundart

vun

W. Fricke,

Verfasser der „Snörken un Hamörken.“

Erster Band.

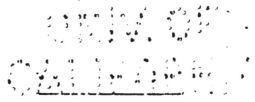

Jena,

Hermann Costenoble.

1870.

Bremer

Inhaltsverzeichniß.

Seite

Dat 1. Kapittel.

Ene Koffegesellschaft un wat vör Lüd derbi wiren. — Wat
noch vör Lüd ankömen. — Worüm Hinnik Kohlhaas in sinen
niegen Zilingerhaut sitten beit. — De irste Indruck geiht ver-
turen un nahs föllt de ganze Pott intwei. — Jochen Pott
snackt bi sik sülwst.

„Jah, dat is so," seggte Tauten Bliesaaten,
indem dat sei de Gesellschaft 'n frisch Tass' Koffe
inschenken beb, „jah, dat is so, de ollen Tieden
wiren boch be besten, un wenn wi uns' Eier un
Bobber ok jetztund dreibuwwelt betahlt kriegen."

„„Ja,"" stimmte Unkel Jobst bi, „„as Tru
un Globen noch in'n Cours wiren un 'n Hand=
slag so väl as 'n Eid gellen beb, da wir't noch wat,
äwer sietbem dat be Iserbahn erfun'n is un be
Frugenslüd Kringelinen brägt, sietbem böggt dat
ok rein gornix mihr in be Welt.""

„'t is All as 't is!" nöhm nu Unkel Blie=
saat dat Wurt, „ik kann boch nich äwer be jetzi=
gen Tieden klagen; wenn be Pacht ok 'n beten

hoch is, be Weiten koft besto mihr; bat gliekt sik
ümmer so wedder ut. De lütt Mann in be Stadt
mag 't jowoll ihrer föhlen, benn be hett süs sin
Tüffter vör vier Schillinge köfft un möt nu
teigen geben; wi Landlüd äwer, wenn wi ihrlich
sin wüllt, wi känt uns nich beklagen. Un wer
äwerall sik man rögen mag, be kümmt hüt ok
noch ihrlich börch be Welt."

„„Ja, wenn hei sik wat tau stillt!"" brummte
Jobst in sin Koffetass 'rin.

Nu köm bat Gespräk vun be ollen Tieden up
be Kantüffeln, un vun be Kantüffeln up be
Runkeln, vun be Runkeln up be Swin un vun
be Swin up ben Menschen, vun ba webber up
be Tieden un so ümmer rundüm; blos, bat
benn un wenn mal statt be Kantüffeln be Rogg
orer Weiten, un statt be Minschen bat anner
Veih an be Reihg köm. Na, man weit woll, wi
bat up so'ne Gesellschaft hergeiht, wo blos Koffe
brnnken un Fienbrob instippt warb.

Wi wüllt uns nu be Gesellschaft bet nöger
beseihn, damit wi weiten, mit wat vör Lüb wi
bat eigentlich tau bann hewen. Baben an ben
Disch satt Unkel Jobst, em gebührte be Ihr';
wenn bi ben einen orer ben annern Unkel orer
Vetter mal wat los wir, so müß Unkel Jobst

babenan sitten; hei orbinirte un kummanbirte
Allens, wat hei seggn deb, dat güll; wir hei
doch de erfohrnste Minsch in ganz Warsow, denn
hei harr sik all verschiedenen Wind in verschie=
benen Weltgegenben um be Näs weihn laten.
So Einer kann ok woll Allns beter weiten, as
Einer, be all sin Lebe nich achter Mubbers Brob=
schapp rutkamen is. Jobst harr ben Franzosen mit
äwer ben Rhin holpen, was barup in östreich=
schen Deinsten wesen; hei harr in Italien
Slachten mitmakt un was später up'n engelsche
Marine wesen; äwerall was hei bor mit biwe=
sen, wo be Minschen sik üm anner Minschen
ehr Jhr un Rachgier bobslögen. Hei was ut
all be Slachten mit 'n blages Og babunkamen;
bat heit, bet up ein Bein, bat harr hei halw in
be Krim laten, un nu hümpelte hei so börch
be Welt, at balb hier tau Mibbag, balb bor
tau Vesper un wo anners brünk hei seinen Koffe;
äwerall was hei bekannt, un was tau All un
Jeben Unkel. Jobst was, trots sinen Frugens=
haß, ben hei Gott weit wo upgabelt harr, boch
'n ganz lustigen Kirl; 't müg woll sin, bat hei
sinen Humor ut ben allmächtigen Primscher sög,
ben hei bestännig an be link Sieb mang be Ku=
sen sitten harr, bat be Back utseihg, as wenn hei

de gräßlichsten Thänpien hewen deb; sülwst wenn hei taufällig, wat äwer sihr selten vörköm, mal keinen Prim harr, denn stünn de Back doch grad so af, as wenn einer drin set; woll ut Gewohn= heit, orer de Back harr sik trocken wi 'n Rock nah 'ne hoge Schuller. An be rechte Sieb ut ben Mund kek verwegen so'n lütten swartgeblö= kerten Kalkstummel hernt, wovun de Mund sik all ganz nah bahlwats trocken harr. „De Stum= mel hett manchen Storm erlewt," plegte hei sihr oft tau seggn, „ben hew ik all ümmer up't Schipp rokt." Jobst höll ok väl davun, hei let em nich ut'n Mun'n, ut'n Ogen gornich. „Smiet Ji mi den Stummel intwei," sähd hei, „denn slah ik Jug Arm un Bein taunicht!" — Tau desse Back und dessen Mund köm nu noch 'n Näs, as so'n lütt Kinnerfust dick, un wenn be Sünn darup schiente, denn glanzte sei likster= welt as wenn sei glasurt wir, vun wegen ehr robe Farw; dat gaw em ein paßiges Utseihn, äwer be lütten bunkeln Ogen, de unner be be= ruhriepten buschigen Brunen rut lüchten, bröchen Jeden enen bägbgen Respect bi; Jobst was ben= noch 'n ganben Kirl, un hei habb trots sinnen Frugenshaß 'n weik Gemäuth. Baben up bit Gesicht un bit Gemäuth satt bestännig, ob Som=

mer, ob Winter, up be Strat orer in'n Hus,
'n lütt pelzverbrämte Mütz ahne Schuht, be in=
wemnig un butwennig so schön settig wir, bat,
wenn sei mang 'n Kohl in'n Pott stecken würd,
bor gor kein Fleisch wieder anbrukte, be Kohl
würd doch möhr nang warden. Jack un Bür
wiren vun blagen Flaus, as be Matrosen brä=
gen, ok Winter un Sommer äwerein. Tan Jobst
sin Bin'nwenniges kömen noch en poor Ange=
wohnheiten, wo't eigentlich nix mit is, un be
mitunner ben Minschen eklich in Unannehmlich=
keiten rinner rieten känen. Jobst harr vun bat
engelsche Schipp her sik be beiden Würt: „God
dam!" tauleggt un brukte sei nu bi jebe Gele=
genheit, wenn hei mal recht sin Person in't
richtige Licht stellen wull; wenn em besse Würt
nich glief bi be Hand wiren, orer em süs nich
passlich schienten, benn sähd hei: „Dat bi be
Hahn hackt!" benn äwer meinte hei bat gaub un
was in sin Fett, as man tau seggn plegt, wenn
einem 't so recht behaglich is. —

Neben Jobst an be link Sied satt Tanten
Lischen, bat arme Worm was 'n beten tau kort
kamen, bat heit, be Natur habb sei steiwmübber=
lich behannelt; obglief sei sik in ehr Wasdoms=
johren ümmer unnern Mairegen stellt harr, wir

sei doch nich länger worden as wi drei un enen
halben Faut; de Kopp hengegen was rieklich,
binah tau rieklich utwuffen, so dat sei vör gaud
un girn 'vör'n lütten wiwlichen Gnommen ut
de Feenwelt gelln künn. Wi de Kopp mit dat
Unnergestell in 'n Webberspruch stünn, so stünn
sei ok mit Allns in de Welt in'n Webberspruch;
de unschülligste Fleig an de Wand künn ehr
argern, bet taum blag warden. Tanten Lischen
was noch 'n Jungfräulein vun ungefähr nägen
un viertig Johr un höll stark up be moralischen
Reden, weswegen sei sik ok nich recht mit Jobst
verdrügen kunn, wiel be oft fin Jokus baran
harr, bat oll lütt Worm in bes' Wies' tau brüben,
woräwer sei benn bestännig blag anlöp.

Up be anner Sieb neben Jobst bor satt
Tanten Bliesaaten orer slicht weg: Tanten Lena,
de Gastgeberin vun be hütige Gesellschaft. Wer
einmal mit bes' ihrwürbige Fru, sei was so in
be Föftig, spraken harr, be marfte gliek, bat ehr
be Kakelreim fir sneben wir; bat leiw Mund-
wark güng wi 'n Päpermähl wenn vun 'ne wich-
tige Sak de Red wir, un Allns was wichtig,
wenn sei vertellte; am allerwichtigsten wir ehr
äwer ümmer bat, wat anner Lüb tau baun un
tau laten harren, wat ehr boch eigentlich gornix

äwer den annern sin Verhältnisse, denn köm hei nah Tanten Lena un wüß bescheib. Allens lewte un wewte an ehr, sogor de beiden blagen Mützenbänner an ehr sünndagsch Dromös, de bestännig as de Bammeltiekers in Bewegung wiren. Tanten Lena was ganz dat Gegendeil vun ehren Mann, de webber an ehr grön Sied satt.

Unkel Blicsaat was woll 'n teigen Johr öller as sin leiw Gemahlin; de Tied harr sin, wi Unkel Jobst sin Hoor stark blekt; de Falten in sin Gesicht harru scharpe Kunturen kregen, äwer dat Hart wir weik blewen. „Tru un ihrlich!" was sin Wahlspruch vun je her wesen un was't ok noch bet up denn hütigen Dag. Hei deb kein Kind wat tau leben, blos wenn Tanten Lena dat mal en beten alltan stark mök mit ehr Kläneri, denn tröck hei den Vörkopp in Schrulln un fähd sachten:

„Du mit Din Kläneri snackst uns noch in't Spinnhus!" wieder fähd hei äwer nix, denn benn deb em dat all leb, dat hei sin leiw Fru hart ankamen wir.   ⁓

Bet lanker an'n Disch satt webber Jemand, de sik in be ganze Stün'n, dat be Gesellschaft tausamen wir, noch nir nich harr marken laten, blos as flitiger Inhauer in den Bobberkauken, den Tanten Lena sülwst backt harr, un in des' Sak arbeite hei benn ok bägbig un späulte mit Koffe ümmer fir nah; so dat, as be Annern an'n Disch een Tass' mit Gemüthlichkeit runner snackt un kumpelmentirt harren, hei all 'n Stücker drei wegputz harr. Jochen Pott wir sin Nam, un was ein wietlöppige Verwandter vun be Tanten un Unkels, be dor noch an'n Disch seten. Jochen was Tanten Lena ehr Swager=Mutter=Brauder= Dochter=Kind; harr also ein Recht, dor mit tau sitten, un beb benn jo ok sin Mägelichst; smet benn un wenn ok mal 'n fründlichen Blick up Ein orer ben Annern, wenn be Ein orer be Anner mal wat seggen beb, lachte am bullsten mit, wenn lacht würb, strek sik ok woll mal mit all sies Fingern börch be gelen Flaßhoor, un kek, wenn sin Tass lebbig wir, stramm rin in be Tass, un denn mal webber Tanten Lena an, wat be benn ok ball verstünn, sin Tass webber vull schenke un woll tau em sähb: „Je, Jochen, Du seggst hüt jo ok gornix nich." Denn antwurte Jo= chen mit'n sihr verstännig Gesicht, wat hei allnah=

gen?"'" verstummte un füng webber an försötsch tau arbeiten in Tanten ehren Bobberkauken un in ben söten Koffe.

Twischen Jochen un Unkel Blisaat satt Hanne Blisaat, be beiden ollen Blisaaten ehr einzigste Dochter un Ogappel. Je, 't was ok ein Mäten, bat woll Einer as 'n Ogappel leiw hewen künn; ganz be Gaubmäubigkeit un bat Frame vun ehren Vaber, blos be schönen blagen groten Ogen un bat helle Hoor vun ehr Mubbing, un bortan an Wux, so slank un grab as 'n Pappel, un'n Talg as bat ünnelst En' vun'n Winbubbel un — un kort un gaub! 'n Mäten taum rinbieten, benn be Kallühr was ok man so as 'n riepen Taftappel. Jungfer Tanten Lischen was all männigmal äwer besse Schönheit blag anlopen, benn so wat kriwwelte ehr.

Hanne sähb ok nix in be Gesellschaft, sei was tau bescheiben üm mittauspräken, wenn öllerige Lüb mang'nanner spröken. Mitunner fohrte sei husch, husch, vun ehren Staul up, ut be Döhr 'rut, un halte 'n frisch Kann Koffe rin, un besorgte ben Töller, wo be Bobberkauken up lagg, bat Jochen nich tau töwen brukte. Wenn sei bit

Geschäft besorgt harr, denn set sei webber still
up ehren Plat, un ehre groten blagen Ogen
keken äwer be Gesellschaft weg, börch bat Finster
in ben blagen Hewen, as wenn sei ein poor lütte
Stücken bun be grote Engel wiren, be sik sehnten,
webber an Urt un Stell tau kamen, wo sei
sörrebem seten harrn; un in ben Harten bor
glöhte 'ne Kahl, un be Kahl was 'ne stille Leiw,
un be Leiw was jung; wat bat tau bebüben hett,
warb woll ein jeber Minsch weiten, be nich vör
sin sösteinst Johr verfroren is. Dat Hart in
Hanne's Bost, bat slög vör Krischan, un Krischan
was 'n armen Düwel, bun ben Mubber Blisaatsch
nix nich weiten wull, obgliek sei „Lüb, be be Näs
hogbrägen", as sei sähb, nich lieben kunn, un
Babber seigh bat jo ok nich girn, indem bat
Mubber bat nich hewen wull.

Stille, heimliche Leiw is all oft mit'n Kahl
verglieft, wil bat sei so glöhn un brenn'n beit;
äwer stille, heimliche Leiw is ok söt, ach so söt!
väl söter as 'ne Leiw, be sik äwerall brist breib
maken bröfft; äwer sei gript ben Menschen an,
sei farwt be Backen blaß un schüwt be Ogen bet
in'n Kopp henin, wat benn ok bi uns' Hanne
leiber be Fall wir; un boch wull Mubbing bat
nich hew'n!

Dat wiren nu de Lüd an Tanten Lena ehren Koffedisch; äwer de Gesellschaft wir noch nich vullstännig. Twischen Jochen un Tanten Lischen wiren noch drei Stäuhl unbesett. Tanten Lena harr jo meint: „Wi künnt up de Kohlhaasen nich länger mihr luren, lat uns man anfang'n," un sei wir'n anfung'n; nu äwer, as sei de drübb Tass', vör Jochen be söst inschenkte, meinte sei denn doch: „Fritz," wobi sei sik nah ehren Mann wendte, „wenn dat nich Din leiwliche Swester wir, des' upsternatsche Kohlhaasch, denn sähd ik tau ehr, wenn sei nu so ankehm: Kohlhaasen, wenn Sei min Gesellschaften nich mihr estermiren, denn brukten Sei jetzt ok nich mihr tau kamen! äwer= haupt väl leiwer wir mi dat, wenn sei gornich min Hus betreden beden."

„„Na, na —"" sähd Unkel Fritz so vör sik hen.

„Ik weit nich," fohrte Tanten wieder un de Mützenbän'n banzten Engelsjeck, „ik kann de Urt Lüd nich utstahn, de be Näs so hoch brägen, un doch nich mihr sünd as annerein. — Wat bill'n sik be Minschen eigentlich in? — Dat sei mal bat Glück habb hewen un väl Geld in de Lobberi gewun'n? davor künnt sei jo sülwst nich. Mi bücht, de künnen sik man girn tau uns tell'n un utſüht." —

„„Jes, nu lat dat doch man gaud weſen,"" ſähd Unkel Fritz, „„lat doch be Lüd, Jeder makt ſin Sak ſo, as em geföllt.""

„Ja, äwer" — iwerte Tauten, „wer bi mi kümmt, be möt dat hochbrawſche Weſen tau Hus laten, ſünſt kann ik em nich willkamen heiten!"

„„Hm!"" brummelte Jobſt in'n Burt, „„'t is doch naḥrſchen in be Welt, dat be Lüd ümmer anner Lüd eḥre Feḥler un Gebreken utfinnig maken un be eigenen min Lebe nich gewoḥr warden.""

„Wat?" frög Tauten Liſchen, be wat un ok nir verſtaḥn ḥarr, „wat meinſt Du, Jobſt?"

„„O, nir nich,"" weḥrte Jobſt af, „„„dat, wat ik eben meinte, dat is unmoraliſch, dat dröff ik jo doch nich unner Din Ogen ſeggen.""

Tauten Liſchen mök ein äwerwendlich Ge= ſicht un kriwelte ſik inwennig, dat ſei webber blag anlopen beb.

„Still! dor rummelte wat up'n Ḥof rup. Wat warb nu?" ſähd Tauten Lena, indem dat ſei ſik vnn'n Stauhl uplüchte, langſam güngt man, denn ſei was wat büllig.

„„Wat nu?"" sähd Unkel Fritz un stünn
ok up.

„Hoho!" sähd Jobst, indem hei sik in be Höcht
lüchte un an't Finster hümpelte. „Dat bi be
Hähn hackt! nu geiht mi 'n` Thrankrüsel up!"

De äwrige Gesellschaft bräugte sik ok an't
Finster, un alle seihgen eine hochbeinte Kutsch
ut ollen Tieden up'n Hof herupper balangsiren.

„Dat is doch nich Paster Ehrbor sin Kutsch?"
frög Tanten Lischen, be kum äwer be Finsterbank
wegkieken kunn.

„„Ne,"" sähd Unkel Fritz, ben sin is frielich
ok so'n ollen Rumpelkasten, awer so'n wandschapen
Dings, as dit is, is dat doch nich. Dat möt
wer anners sin.""

„Na, na," sähd Jobst, „wenn mi min Ahni=
mus bregen beit, benn lat ik mi morgen as
Strohkirl in be Arwten stelln!"

Jobst sähd äwer nich, wat sin Ahnimus em
seggen beb. Jeder möt nun sin Bemarkung un
sin Wunnerwarken äwer bat Dings un wer bor
woll insitten künn; blos Jochen nich, be harr
sik'n Stück Bobberkauken mit an't Finster nahmen
un bet flietig bi't Ruterkieken af.

Nu willn wi mal in be Geswinnigkeit en
beten börch be stöwigen Finstern in be Kutsch

kieken. Up den hinnelsten Sitz seten twei Dams, be ein be künn woll hoch in be Viertigen sin, be anner woll so'n söstein Johr telln. Up den Rüggsitz satt ein öllerrigen Herrn mit'u tämlich gablich Stück vuu'n Näs mitten in't Gesicht; eine Uennerlipp, be twei Toll äwer den Nästippel wat eigentlich 'n Knop wir, wegket, un'n glatt= rasirt runnes Kinn. De Ogen wiren tämlich versteken unner be buschigen, struwen Brunen. Babenup besse Phisognomi satt, bet beip up be Uhren, un beip in'n Nacken, so bat man vun be kortgeschorten branbroben Hoor ok nich 'ne Prauw seihg, ein swarten Zilingerhaut, as Unkel Kohlhaas bat Angstrohr näumen beb. Ja, Unkel Kohl= haaseu was't, be rüggglings in ben Rumpelkasten vun Kutsch set, un be beiden Dams, bat wiren Tanten Kohlhaas un ehr Dochter Jetten.

Tanten Zophie, as sei slicht weg näumt würb, satt stiew unb stur, ben Kopp 'n beten achteräwer, bat be spitze ümgestülpte Näs so verwegen in be Luft stünn, as wenn sei seggen wull: „Sühst mi woll? Ik möt be ganze Sak vörstahn, wo ik nich bün, ba is be Koop nich güllig." Un bat spitze Kinn stünn borunner un ket ingrimmsch nah be Näs tau höchten un sähb: „Ik help Di bi't re= girn, Du allein kannst boch nix verrichten!"

Twischen desse beiden Spitzen satt de lütte Mund mit de dünnen Lippen fast tansam geklemmt, un üm em spelte ein führnehmes Lächeln, denn hei wüß, dat de annern Beiden woll stillswigen müssen, wenn hei befehlte. De beiden swarten Ogen stunnen äwer dat Ganze un höllen Wacht; ja, den beiden gung nix verluren, dat Geringste würd vun de runnen Karfunkelsteine bemarkt, ümsünst wiren sei ok nich so grot. Dat is das Gesicht vun Tante Zophie; äwer un üm bit bummelte un baumelte dat; ein poor Schock Bänner vun allerlei Kallühren, un mang de Bänner keken allerlei Blanmen un Bläder in de Welt. Desse Kron, de gaub drei Faut in'n Dörchmeter harr, näumte Mudder Kohlhaasen: „Min Mütz." Wat nu bet hendahl unner den Kopp sat, bor kunn Einer ebenso wenig klauk ut warden, as ut be Mütz. Indem sei bor so sitten bed, sahg man wieder nix as Spitzen un Bänner un Däuker un sieben Tüg un Snörken un Geschichten; kort, dat Ganze seihg ut, as dat mitunner up'n Utraupeldisch bi'ne Okschön utseihn beit.

Jetten was dat naturgetrugste Kunterfei vun ehr leiw Mudding, wat man je exstirt hett; Gesicht un Antoch, Alles stimmte up't Hoor, blos be Mütz, dat dull Ding fehlte noch; sei wir jo erst föftein Johr olt.

So nöhmen denn be beiden Frugenslüb binah den ganzen Platz in be Kutsch weg, dat Vadding man 'n knapp Flach blewen wir, wo hei sin leiw Allerbestes dahlsetten kunn; be Bein müß hei fast tansam un be Fäut up'nanner holln, un denn man immer firing ruhig sitten, wenn hei nich Gefohr lopu wull, unner be Gadrow vun sin leiw Frugenslüb tau gerahden un sik denn heil un heil tau verbiestern.

So sahg dat in be Kutsch ut, as sei up den Blisaatschen Hof führen deb. Vadder Kohlhaas haar den Rumpelkasten irst den vörigen Dag sik ranner handelt vör'n Spottpries up dat Pipenbrinksche Gaub, wil be Gaubsbesitter Herr vun Pipenbrink bankerott makt harr un nu sin beten oldmaudschen Krempel vun Gerichtswegen verköfft wir. Tanten Zophie harr dat denn ok recht schön befun'n, dat ehr Mann up den Infall kamen wir, be Kutsch tau köpen, un harr glick seggt: „Dor föhrt wi morgen mit noch be Blisaaten; dat bringt be Respect bi, un argern warb sei sik taum Proppen, wenn sei seiht, wi wiet dat wi dat nu all bröggt hewen.“ Un as 't nu losgahn süll nah be Gesellschaft hen, dor harr

Tauten wedder meint: „Aewer wi mät nich so
tiebig kamen, damit de Gesellschaft irst ganz tau
hopen is; denn sei argern sik All, un süllt sik
argern!" Dat wirn slichte Gedanken, doch Tanten
Zophie wir enmal so, un so as de Minsch is,
so is hei, dor let sik nix mihr in't Oeller bi daun;
in de Jugend da help de Klabatsch mitunner.

Nu harr Jehann ran müßt, un wir in 'ne
Liweree stecken, de Babbing ok glieks mit köfft
harr; wat äwer eigentlich kein Liweree wir, son=
nern 'n Jockei=Antoch, den de Herr vun Pipenbrink
mal up'n Webbrieden anhatt harr. De rob
Jack, wenn sei man 'n beten vullkamer west wir,
stünn Jehann denn jo ok ganz gaud, un de gel
Kneibür wir blos 'n gauben Faut tau kort, so
dat de blanken Kuei, unsern Jehann tüschen Bür
un Stäweln rutkieken beden, un denn ok hellschen
prall siten beb, dat hei sik jo nich alltauväl rögen
un bögen bröffte; „äwer't schabt nix," harr Tan=
ten seggt, „dat gehürt sik so!" un 't mök sik jo
ok heil fein, as Jehann mit sin brun Gesicht,
as 'n leibhaftigen Urangutang, vörn up'n Buck
set, un Tanten sähb ok:

„Dat makt sik, dat warb sei mal argen! —
Vun den irsten Jndruck möt sei All stumm war=
ben. Paß up, Hinnik, wi sei dat Mul uprieten,

Min ch vör'n Indruck tauirst makt, wenn hei
irgendwo ankümmt, davör ward hei ümmer holln.
Also, Jehann, führ mit Schick, dat Du uns
den irsten Indruck nich verdarwst."

„„Ik will't woll maken,"" segte Jehann un
hockte up sinen Buck, as wenn hei de gräßlichst
Liwweißbaag harr, diweil hei sik nich recht stramm
hensetten kunn, vun wegen de Engigkeit vun sin
Liweree.

In dessen Verfat kamm nu de Kutch nöger.

„Hinnik," seggte Tauten Zophie liesing,
indem sei mit dat eine Og börch't Finster
schielte, „Hinnik, kiek, wat sei dor an't Finster
staht un mulapen; sei sünd All all dor. Sühst
Du, wie Tanten Lena de Ogeu upritt? Ja, wie
spält jetzt 'n anner Rull in de Welt as wi Ji!
Hinnik, Du mußt tauirst rutstiegen, un mi denn
an de Hand rutböhren, dat wi ok mit Anstand
ut den Wagen stiegen. Un Jetten, nimm Du
Din siden Kleb in Acht, dat Du nahrens an
hängn bliwst. Ah, Ji süllt einen schönen Begriff
vun uns kriegen; Ji künnt Jug glücklich heiten,
dat wi mit Jug äwerhaupt verkihren, un kamt ok
noch babenin tau Jug. — Huch! — Ach Herr Je!"

„„„De verdammte Steen!"""

Dor lag de ganze Kutſch up de Halw, grad vör de Husdöhr, un as ut deipen Grund hürte man de Würt ſik mauhſam an de Luft drängen:

„De irſte Indruck is verluren!"

„„„Huch! — Ach Je!"" ſchallte dat ok tau glieker Tied ut de Stuw, un de ganze Koffegeſellſchaft löp dor dörcheinanner. Jobſt wull ſik raſch ümbreihn, üm tau Hülp tau lopen, prallte dorbi gegen Tanten Liſchen an, de hei wegen ehre Lüttigkeit nich ſehg, dat de rügglings midden in de Stuw henföll un mit de Bein in de Luft rüm ſtangelte. Unkel Fritz ſüht dit Mallühr nich, will ok ut de Döhr lopen un — perdautz ſöllt ok de äwer Tanten Liſchen ehr ſtangeligen Bein as 'n Klaw Holt taur Ird. „Jes, Jes!" röp Tanten Lena dormang, „wat is dit, wat is dit? Wat is mi dat, Jochen, Du ſeggſt jo gornix bortau?"

Jochen, den vör Schreck de letzte Happen noch mang de Thänen ſet, kaute irſt den Mund ledbig un ſeggte:

„„„Jau, wat ſall'n dor Grots tau ſeggn. — Kumm Tanten, kumm in be Höcht!"""

Tauten äwer was heil un deil blag anlopen, vör Arger un vör Schreck.

Buten mät wi nu irſt unſern Jehann mit

2*

würd, „Minsch, wat söchst Du denn dor üm Migeli mang de Stickbeern? De sünd jo üm Jehanni riep."

Jehann satt mit sin Klebaasch in be Stickbeern= heck un harr sik sin Gesicht, Hän' un wat nich all, blödig reten, un sin herrlich Liweree harr ganz unverschamte Luftlöcker kregen.

„„Je,"" seggte hei, „„de verfluchte Stee — auh! — Taum Dunnerwedder, wo möt ik hier in so'ne verdammte Sitzung kamen? Herr Jobst, Jes, saten S' mi doch 'n beten an.""

Na, Jobst was em behülplich un Jehann köm ut be Stickbeern wedder rut; sahg äwer ut as 'n Märtyrer ut'n sösteinsten Johrhunnert.

Middewil was Alles vör de Döhr kamen, Tauten Lischen höll sik äwer 'n beten vun sieru, denn sei wull sik nich be Gefahr utsetten, noch mal ümstött tau warden.

In den ümgestülpten Wagen, de so lagg, dat be eine Döhr up be Ird was, un nich apen güng; be anner Döhr dagegen in'n Heben lek, was ein verworrn Geschrei un Gemurmel vun'n „irsten Indruck" un „natürlicherweise," wat

Vadder Kohlhaas sik tau begern angewennt harr, dat hei dat up Allns anwendbor makte.

Jobst was hier de Irst, de up de Kutsch rupklaspern deb, mit Mäuh de Döhr apen kreg, un nu vun babendahl in dat Geschrei un Gemurmel rinner kieken deb, as wenn 'n Engländer vun babendahl in den Vesuv kieken deit. „God dam," seggte hei un halte dat Band un Blaumengestell an de Luft; „dat Di de Hahn hackt, dor kümmt jo woll am En' 'ne ganze Kunstgarneri taum Vörschin!" un smet Tanten Kohlhaasen ehr Mütz Tanten Lischen tau, un dröp so schön, dat dat Gestell dat oll lütt Ding grad up'n Kopp flög, de nu dadörch utsahg as wi 'n Wederhex, un äwer dit Utsehn natürlich wedder blag aulopen deb.

„Ach du meine Güte!" jammerte dat ut den Kutschenslag tauhöchten un Tauten Zophie ehr spitze Näs ragte in de Luft. — „Ach du meine Güte, wat is dit vör ein Mallühr! wat is dit vör ein Mallühr!"

„„Dat Di de Hahn hackt!"" prallte Jobst taurügg, damit em de spitze Näs nich in de Ogen stek; „Zophie! wat makt Ji vör Anstalten!""

„Ach ja, so wat möt uns nu ok noch passiren!" —

blew äwer ümmer achter ehr Mudding stahn, so dat ehr kein Minch nich in't Gesicht seihn künn; sülwst Jochen nich, de sik da sihr üm bemäuhte.

Tanten Lena bewillkamte denn nu Tanten Zophie mit'u Urt vun mitleidig Gesicht; dach äwer in sik: „Sühst Du, dat geschüht Di recht!"

„„Wo is denn Hinnik?"" frög nu Unkel Blisaat.

„Jes, ja, min Manu, min Mann!"

Un min Mann satt unnen up den proviso= rischen Boben vun de Kutsch, un harr'n Kramm in't Bein kregen, dat hei nich tau höchten kamen kunn; un taum Sitz harr hei sinen eigenen niegen Zilingerhaut wählt.

„Minsch," seggte Jobst, „wat huckst Du denn noch vor, as wenn Du 'n Kluckhauu wirst! Kumm doch tau Brett."

„„Natürlicherweise,"" gaw Unkel Hinnik taur Antwurt; „„natürlicherweise hew ik vun dat stiwe Sitten, diweil ik mi nich rögen kunn, indem dat min Dams den ganzen Platz innöhmen, 'n Kramm in't Bein kregen. Wo is Jehann?""

„Je, Jehann," seggte Jobst, „de kann sik nich recht seihn laten, hei hett jo sin ganz Klebasch

„„„Wat? de schöne Liweree, de mi teiu Dahler kost hett?"""

De Schreck äwer den niegen Verlust, de Zilingerhaut was ok hen, jagte den Ramm taum Düwel, un Unkel Hinnik kamm mit sinen breitgesetnen Zilinger ut be Klapp krupen, üm Jehannen uptausöken un em einen gehörigen Marsch tau blasen vun wegen bat Uemsmieten un Kaputrieten vun be Liweree; äwer Jobst höll em wiß un bebübte em, bat bat nich Jehann sin Schuld, sonnern ben ollen Rumpelkasten vun Kutsch sin wir.

„„„Wat? Rumpelkasten?""" bölkte Hinnik Jobst an; „„„Rumpelkasten nennst Du bat? Natürlicherweise, Du hest keinen Verstand dorvun! — Wo'n Herr vun Pipenbrink in utführt is, bat is keiu Rumpelkasten! versteihst Du mi?"""

„„Ja, ja," sähd Jobst, „lat't man gaub wesen, 't is 'n schön Gestell — wull seggen 'n schöne Kutsch."

„„„Na, nu kamt man rin,""" sähd Tanten Lischen, de doch ok wat seggen wull. „„„Nu kamt man rin un varmünnert Juch man 'n beten, bat be Schreck sik webber ut be Glieder treckt.""

„Ja," seggte of noch Tanten Lena spitz, „ein
beten harren Ji man noch utbliewen süllt, denn
wir be Koffe allwesen, un if harr wohrhaftig
keinen srischen kakt — üm Juerntwegen" — wull
sei noch seggen, verbet sik äwer noch tau rechter
Tied un dach dat blos.

De Gesellschaft güng nu tausamen in de
Stuw; äwer mit Tanten Zophie wir't ut; sei
harr frielich ehr Blaumengestell wedder up'n Kopp
set un de Spitzen un Bänner t'recht zupt; äwer
de irste Indruck was verluren gahn, un dat
kränkte ehr deip. De spitze Näs was noch spitzer
worden, huug äwer'n beten beiper as vör ge=
wöhnlich, un dat Prahlen vun 'n groten Christoffer
güng of nich so vun statten, wat gaub vör Tan=
ten Lena wir, denn so wat knnu be jo boch
up'n Dob nich utstahn. Unkel Hinnik was of 'n
beten mißgestimmt worden, äwer hei müß denn
doch natürlicherweise vertelln, woans hei tau de
Kutsch kamen wir, un up den Infall, sinen Kutscher
in so'n Apenjack tau steken.

„Dat Di de Hahn hackt!" seggte Jobst, „Du
bringst dat bor noch hen, dat Di de Großherzog
taun Minister orer süs so'n Geldverkehrer makt.
Du hest forsche Anlagen tauu Awangsiren."

Sowat smeichelte Unkel Hinnik, un de Unner=

recht wat gelln süll, orer Hinnik sik in sin Selbst=
gefäuhl wäuhlte. Tauten Lena gaw ehren Fritz
'n lütten Fuck unner't Rüggggrat un griwlachte
in sik.

Sietdem de Kohlhaasen ankamen wiren, güng
dat mit Jochen sin Äten un Drinkeu nich recht
mihr vun Flessen; hei harr an sin grön Sieb
nu ok uoch 'u jung Dam, nemlich Jetten; Jochen
satt in eine angenehme Sitzung. Jetten äwer
beachte Jocheu man sihr wenig, orer eigentlich
gornich, denn as Dochter vun so fürnehme un
rieke Öllern künn sei sik doch unmägelich mit
den ollen Dränbartel vun Jochen, be man 'n lütten
Halwmaier wir, iulateu. Jochen habb trotsdem
wieder nix nich tau bann, as Jetten in einen furt
antaukieken un unrauhig up'n Stauhl hen un
her tau rutschen, wobi hei denn Jetten ümmer so
unverwohrens un mit Willn an'n Ellbagen orer
süswo stöten bed, wat be natürlich nich beachten
kunn. Jochen mök ok ümmer so, as wenu hei
wat seggen wull, äwer 't köm nix rut; dat hackte
gewiß achter den välen Bobberkauken, den hei
äten harr.

't wir nich dat irste Mal, wo Jetten Jochen

man blos noch nich den Ogenblick packen kunnt,
wo hei sei apenbohren dröffte; denn wenn hei
mal in Jetten ehr Neg kamen deh, denn wiren
da ümmer mihr Lüb taugegen, un dat scharnerte
em; tweitens harr hei denn ok gewöhnlich, as
hüt, 'n beten rieklich äten, wo't denn ümmer
achter hacken blew. Tanten Lena harr dat all
lang spitz kregen, wat in Jochen vörgung, un
dat wir ehr hellschen verdreitlich, denn sei harr
ehr Hanne bortau utseihn, up Jochen sinen Hof
tau regiren; Jochen schien ehr de best Swieger=
sähn tau sin, indem dat hei nich väl seggen deh,
weil hei ümmer doch nix „Grots" tau seggen
harr, un wat Lütts chien em so woll de Mäuh
nich wirth tau sin. So Einer wir am lichsten
ünnern Tüffel tau kregen, un ünnern Tüffel
müß de Mann, Tauten Lena ehr Ansichten nah,
stahn; de Fru müß dat Regement hewen, süs
wir't nix! „Wat weit de Mann vun de Wirth=
schaft in'n Hus? Un Einer, de de Wirthschaft
nich kennt, kann ok nix tau seggen hewen. Bi
ehren Mann harr ehr dat utgeteikend glückt,
denn de wir jo so'n oll gottsframes Lamm, de
kein Kind 'n Hoor krümmte; hei harr sik in de

Na, Tanten Lena smet benn ok mitünner ganz insamt grimmige Ogen nah Jochen räwer, woran be sik äwer börchut nich stöten ded, grahd as Jetten an sin Kielen. Wenn de grimmigen Blick nix utrichten deden, denn pliukte sei ehr Döchting tau, wat so väl heiten sull, as: „Mak Di doch 'n beten mit em tau daun, unnerholt Jug doch!" Hanne versöch dat benn jo ok as gehursame Dochter, kreg äwer ok wieder nix as „ja" un „ne" ut em rut, wobi hei sei gornichmal ansahg; dat wür ehr denn doch natürlich langwielig un sei sähd ok wedder nix. Denn versöch Mudding dat sülwst un seggte:

„Na, Jochen, nu segg doch ok mal ein Wurt!"

Un Jochen antwurte:

„„Jau, wat salln den Grots seggn."" —

De Anneru in be Gesellschaft ünnerhölln sik unnerdessen wedder ümschichtig äwer't Weber un äwer be Tieden, as vörher; und Tanten Lischen füng mal, üm ok wat tau seggen, vun't Glück an, dat dat doch so männigen Minschen nuner be

Unnerlipp, „Di is dat natürlicherweise so vun den Paster inpankt worden, as Du sprickst!" —

Lischen würd blag. —

„Glück is gornix, rein gornix. Wenn Einer 'n beten Minschenverstand hett, denn kann hei dat tau wat bringen; blos Minschenverstand! Un wenn denn Einer börch sinen Verstand dat tau wat bröggt hett, denn seggen de dummen Min= schen: hei hett Glück."

Dumm? — Tauten Lischen löp noch blager an.

„Wat ik büu," fohrte Hinnik wieder, „dat bün ik börch mi sülwst, ik will vun kein Glück nix weiten. Uemsichtig möt ein wesen, un sin Vördeihl tau benuzen weiten, denn hett man Glück!"

„„„Soooo?"" kömm lang as 'n Bohnenschacht ut Tanten Leua rut, de irst all bi dat Wurd dumm hadd losplazen wullt. „„„So? Also Glück giwt dat nich in de Welt? Un dat wi nich wieder kamen sünd, dat liggt an uns' Dummheit? Wi harru also dat ok so wiet bringen künnt as Ji, wenn wi nich tau dumm wiren?""

sei an Rauh tau vermahnen. „„Ne,"" seggte
sei, „„buff mi nich; wat tau dull is, is tau
dull! So'n Grotprahleri kann ik nich utstahn!
Ne, dat is jo rein tau arg; wenn Einer 'n
Hümpel Geld in de Lobberi gewinn'n daun beit,
will hei den Annern dumm schelln, weil hei nix
wun'n hett? Dat 's so'n Dicksnuteri, de will'k
nich weiten!""

„God dam, nu föllt de Pott intwei!" brummte
Jobst, un Tanten Lischen reterörte achtern Aben,
dat sei nich webber ümlopen warden künn; denn
de Fomili Kohlhaas rückte mit einen Fnrbi de
Stäuhl dun'n Disch un prallte in'n En', as
wenn sei mit Sprungfebbern nah un'ntau ver=
seihn wiren.

„Wat?" röp Tanten Zophie, „dat nennt man
jowoll 'n Stauhl vör de Döhr setten?"

„„Ja, dat mag man woll so nennen!""
sähd Tanten Leua snippsch un puterroth in'n
Gesicht.

„Kinnings!" föll nu Jobst in, „vertürnt Jug
doch nu man blots nich üm so'n Klenigkeit."

ümmer kiwwelt, dat wi mihr hewt as sei. Kumm lat uns gahn, Zophie, wi brukt uns jo nich mit solche Lüd tau bemengen; wi hewt dat nich nöhbig!"

Ho, dat flög Tanten Lena in't Og, dat dat Für davunsteigen beb, so'ne Geringschätzigkeit! Nu gung't los; sei wull den Slag taurügggeben, un viel sprung sei vör ehren Swager in be Höcht, un wenn Tanten Zophie bor nich tüschen fohren beb, harr hei sin Ogeu man in be Hand, orer süs wo in, tau Hus drägen kunnt; so äwer kreg nu Tauten Lena statt be Ogeu 'n Fluß Hoor tau faten, un Tanten Zophie, be den Fluß Hoor gehören beb, söch sik nu webber 'n Fluß, un — heidi! wat flögen nu stöwten be Hoor in be Luft rüm! Hinnik söch sin Fru tau rebben, un tröck sei achter an'n Rock unb sähd:

"Zophie, lat bat boch, lat bat boch; giw Di boch nich mihr mit be Tang af."

Hanne harr ok 'n Slipp vun ehr Mubbing ehren Rock tau faten un blarte: „„Mubbing, seihg nich, sei müß ehr Wuth nu köhlen, be all so lang in ehr brennt harr.

Jetten harr ok ehr Mubbing, as ehr Babbing, achter an'n Slipp fat't un jammerte as wi Hanne; un Jochen harr dat Wurt loskregen, dat achter den Bobberkauken irst behacken blewen wir, un sähd: „Kumm, Jetten," indem hei ehr webber an'n Rock zuppen deb; „kumm, dat Du nich ok wat afkriegen deist; Tanten Lena sleiht 'n gaube Handschrift." Un an Jochen sinen Rockschoot harr Nero, de oll jung Kebenhund de noch tämlich kalwsch wir, anhackt un blaffte bor un zuppte bor rümmer, un makte so dat Ganze vulkamer.

Jobst hümpelte ümmer üm be Grupp rümmer un secundirte mit sinen Krückstock, un söch ben Freben tau stiften, — äwer ümsünst. „God dam," seggte hei, „wat makt Ji hier vör'n Kemedi! Ik bün in männig Slacht wesen, wo't heit her= gahn hett, äwer so hewt narrens de Splittern bavunflagen, as wi hier." —

Bun de oll lütt Tanten Lischen sahg man blos be bütelste Spitz bun ehr Näs achtern Aben

Keiner; da bräugte sik Hans un Greten, un
Klas un Dürten, un Jehann köm ok, un twors
mit be unnelste Hälft in 'n Hem'm, wil hei
grabde bi west wir, sin vun Stickbeern terretene
Bür einigermaten webder tau reperiren; so stünu
hei nu vor mit sin Patschentin in be Hand, as
Stin, dat Stubenmäten, be ok wat seihn wull,
angerönnt köm, sik äwer be Hand vör be Ogen
höll un gliek webder reterürte indem sei seggte:
„Sei sull'n Sik ok wat schämen, in so'n Uptoch
hier rüm tau lopen. Wat is dat vör'n Manier.“

Jehann hürte dat nich, hei vergeht sik un de
Welt, un ret mit be Annern üm be Webd
dat Mul bet an beibe Uhren up.

Endlich güng be Slacht ehr En'n entgegen.
Tauten Lena süfzte deip up un güng en poor
Schritt taurügg. Tanten Zophie brök in lubes
Weinen ut, wat ehr Döchting 'n Weinekramp
näumen bed.

Einen Ogenblick hürte man wieder nix as
Eluckfen un Weinen un Stähnen, dunn sprüng

richtigen Ambam.

Tanten Zophie ehr Weinekramp kreg ok sin En', as äwerhaupt alls Irdische 'n En' kriggt. „Weg! weg! weg nah Hus!" Hinnik röp nah Jehann! un Jehann was all bor: „„Teuwen S' man einen Ogenblick, bet ik min Bür webber anhew.""

Äwer ne, nix vun teuwen! Up'n Buck! Angespannt! Vörwats! — Vörwats! dat brennte achter de Kohlhaasen. Weg, ut dat Hus, wo de irste Inbruck so smählich verluren gahn was, un davör annere Inbrücke in Tanten Zophie ehr Gesicht sitten blewen wiren un sik blag sarwt hadden.

„Min Sünndagsmütz!" let sei sik noch ver= nehmen, as sei all in be Döhr stün; be künn sei jo ok üm Himmelswilln nich in'n Stich laten. Je ja, je ja, wo wir be Mütz? De oll kalwsch Nero slög sik bamit üm be Uhren, bat be Bänner un Blaumen bavunstöwten. Ratsch ret Tanten sei em weg, un swab — swab harr be oll kalwsch

„Di nehm ik't nich äwel," sähd Tante Zophie, puterroth in't Gesicht, „denn ik weit, Du büst ebenso albern as dat Beist vun Dirt."

„„Hoho!"" meinte Jobst, „„Du snst einem jo örbentlich in Anseihn bringen, dat näum ik: sik revanjeren. God dam!"

Tanten satt in einen Fuhrbi in'n Wagen.

„„Ji äwermaubigen Minschen,"" brummte Jobst in'n Buct, „„Jur Stolt sall sik ok woll noch mal geben. Wer hoch stiggt, de föllt hoch!""

„Sitten S'?" röp Jehann.

„„Ja, man geswin!"" Un heibi! flög dat hochbeinte Dirt vun Kutsch äwer'n Hof. Jochen smet hemlich ein poor Kußhän'n achter her.

Vör't Duhr röp Jehann: „Nu möt ik irst 'n Ogenblick anholln; be Jungs kamt süs achter uns. Oho, brrr." — Un dormit makte hei sik wat an sin Beinwark tau baun, un knöpte bet be gel Lebbern webber sitten beb. „So nu jüh!" —

In be Stuw, wo eben be Slacht flagen, wiren

nichts, un middenmang all dit Krams lag Tanten
Lena noch ümmer in Swögniß. Unkel Fritz un
Unkel Jobst un Hanne un all de Deinstdirns stün'n
üm ehr rüm un speihten mit Water un tuten
ehr in de Uhren, dat 'n Dober harr vun upwaken
kunnt; Tanten wakte dor denn jo ok endlich
vun up.   .

As Tanten Lena nu wedder in be Reihg wir,
da let Tanten Lischen achtern Aben rut sik ver=
nehmen: „Ach sat mi doch mal Einer an, ik bün
hier fastklemmt!" Dat arme Worm harr sik in
ehr Hartensangst so wiet achterklemmt, dat sei nu
nich allein wedder rut kamen kunn.

Alle Mann saten denn nu an un tröcken un
troschten, as wenn 'n oll gebreklich Schipp up'n
Stapel trocken ward; Jobst mök sin Bemarkungen
un süng dat „Ohoi" dortau, woräwer dat lütt
Ding bet achter beide Uhren blag anlöp, und as
sei befriet wir, ehru Haut nöhm un „Abschüs" bö.

Jeder ward sik nu woll sülwst vertelln känen
wo dat an düssen Abend nah düss' Begebenheit
bi Unkel Kohlhaas un bi Unkel Blisaat utseihg.
3*

wo dat wandschapen Dings vun Kutsch henrullt wir, un harr süsst un tau sik sülwen seggt — bi sik sülwsten künn hei ümmer wat Grots seggn, blot nich in Gegenwart vun anner Lüden: — „Un wenn't 'n Schäpel Weiten kost, Jetten dat möt de Minig warden! — Ik glöw sei mag mi ok. — Morgen in'n Dag gah ik hen und frag de Olln, wat sei ehr Jawurt geben wüllt; un daut sei dat denn nich, denn gah ik hen" — hier grawelte hei sik mit beiden Füsten in sin gelen Flashoor — „un — segg gornix!" —

Dat 2. Kapittel.

Worüm Tanten Zophie krank is un Fru Susemihlen schellt.
— Tanten kriggt det mit de Langewiel, probirt ehr niege
Mänting un kümmt dorbi in de Hut tau sitten. — Wat is
'n Pangschen. — Jochen Pott as Heirathskannedat, un wie
hei dorbi sweiten un blag anlopen deit. — Tanten Zophie möt
sik argern, un Tanten Lena geiht dat ok so.

Daags darup lag Tanten Zophie in't Bedd;
de spitze Näs ragte piel in'n En' un kek ut de
Küssens 'rut as ein Wegwieser, de den rüigen
Sünner nah'n Himmel wiesen sall. Tanten
harr sik dat in de vörige Nacht erinnert, dat,
wenn führnehme Dams wat Starkes passiren
deb, sei denn wenigsten drei Daag krank sünd,
indem dat sei Nerven hewen, de nich Alles ver-
drägen känen. Eine richtige arbeitssame Bursfru
weit, Gott Low! vun sowat nix. Tanten was
äwer keine gemeine Bursfru mihr, sei rekente
sik siet einiger Tied tau de führnehmen Dams,
un somit müß sei denn jo ok nu nothwenniger-

Also krank un dat brei Daag! — Mit dessen
Entschluß blew sei an dessen Morn in't Bedd
beliggen. Badding un Döchting termüubbarsten
sik, wat Mudding woll fehlen künn, denn mit
Fragen was nix ruttaubringen. „Je, denn möt
wi man nah'u Doctor schicken," mein Hinnik,
„dat künn süs ümmer slimmer warden."

„„Ne, ne!"" sähd denn Mudding, „„nich
nah'n Docter, dat ward sik woll so webber ver=
trecken: schickt jo nich nah'n Docter, ik hew dor
nix mit in'n Sinn."" — Ne, sei harr dor nix
mit in'n Sinn, de Docter künn mäglicherwies
rutsingeriren, dat sei eigentlich gornig krank wir,
un denn köm tau den Schimp noch Schan'n;
denn wenn sei ok noch so sihr sik anstrengte,
Smerzen orer süs wat tau entdecken, so wir ehr
dat doch nich mägelich; sei müß sik sülwst seggen,
dat ehr nix sehl.

D'rüm jonich nah'u Docter. Äwer Kamelln
würd kakt un trechtert, dat dat summ un piep;

leiw Adamsdochter so as uns Tanten; 't liggt Manche baaglang in'n Bedd orer makt sü̈s Anstalten, un ehr fehlt nix, blos dat sei ehrn arm Ehmann dat Leben sur makt, wat so all eben nich nah Honigkauken smeckt. Weck sünd krank, wil be Ton dat mit sik bringt, denn dat müß jo 'n Piernatur wesen, de nich in jede Wek wenigsten eiumal tau Bedd liggen blieben müß. Bi dat Volk kaun dat woll ahue dem gahn, äwer man nich bi de sogenannten Gebildeten. Anner sünd webber krank ut äwergrote Gefährlichkeit; wenn sei sik mit'u Nabel in'n Finger steken hewen, denn glöwen s', 't künn'n Blaudsturz taur Folg hewen, orer sü̈s doch 'n slimm'n Nahlat, un warden denn ut lnter Ängstlichkeit vör slimmen Folgen würklich dodskrank, un de arm Ehmann hett sin Last mit Kaken un Schüern un Waschen un Upwohren, un dröfft denn dortan noch nich mal wat seggen, wenn hei nich vörn geföhllosen ungebillten Minschen gelln will.

„Hinnik!" seggte Tanten Zophie mit liese Stimm so gegen halwig nägen tau ehren Mann,

lat mi doch nah'n Docter schicken, dat wi de
Krankheit stüren daut, denn —''''

„Ne,'' seggte Tauten, ditmal heil lud, „lat
mi mit den Docter in Rauh; dat warb sik woll
so geben. Süh, ik wull nu man mal mit Di
spreken vun uns' Kind, uns' Jetten —'' Nu füng
sei wedder hellsch sacht un langsam an, as wenn
ehr dat Spreken würklich swor würd — „Vun
uns' Jetten — süh, wi hewt dat so; — Du
stimmst liksterwelt mit mi äwerein — Gott Low!
— wi künut drister uppebben as de Annern —.''

„„Natürlicherweise!''''' sähd Hinnik. „„Wer't
Geld hett, hett 't Wurd un kann den Düwel
dauzen laten.''''

„Ja, süh, — wi brukt also uns' Kind, uns'
Jetten nich an All un Jeden tau verfriegen, — sei
kauu wat Besonneres kriegen, ik will man seggen,
so'n Eddelmann orer 'n Koopmann in be
Stadt.''

„„Natürlicherweise!''''

is, äwer hei paßt nich tau uns, dörchut nich! —
De Passerigkeit, wull ik man seggen, hett mi
hellschen scharnert vör min Dochter, sei harr dat
nich seihn müßt. Üm nu nich in ehr Gegen=
wart noch einmal sowat tau erleben — un
äwerhaupt möt wi bor wat bi daun, dat sei
mihr mit de Billung begabt ward, dat sei dat
Führnehmsche loskriggt; denn süs höllt dat swor,
dat wi sei an den rechten Mann bringen."

„„Ja, wat denn man, Zophie, wat let sik
denn man dorbi daun? Natürlicherweise hest
Du ganz recht, äwer wi künnt uns' Kind doch
ok nich in de wiede Welt rutstöten, dat dat
mang frömmen Minschen ümkümmt?""

„Ja, Hinnik, dat is ok, wat mi nich klor is,
woans wie dat anfangen. Segg mal, wenn wi
Susemihl da mal üm Rath befragen beden; de
is doch 'n ganz klauken Mann in des' Urt, un
is uns ok am irsten gefällig."

„„Dat is, natürlicherweise, 'n ganz ver=
nünftigen Gedanken vun di, Zophie, äwer kiek
mal, dat gript Di doch hellschen an, hüt äwer
so'ne Saken tau reden un Di Dinen Kopp

bi sin."

„„Natürlicherweise! — Äwer eigentlich is mi dat doch hellsch scharnirlich, den Köster, wat doch man so'n wrampig Worm is, um Rath tau befragen, so as ik be riekst Bur in't Dörp.""

„Hinnik, Du kannst Di jo all ganz gaub den führnehmen Anstrich geben; süh, Du mößt den Köster dat nich marken laten, dat wi dat nich sülwst antaufangn weiten; Du mußt em dat so tau verstahn geben, dat dat 'ne grote Ihr vör em wir, wenn wi em in be Berahdung vun uns' Fomilienangelegenheiten mit mang mengelirten; hei ward dat denn ok woll föhlen, dat dat würk= lich vör em 'ne Ihr is un ward herkamen, un denn makt sik de Sak ganz vun sülwst, ohne dat hei wat markt. Hürst Du, Hinnik, nu gah."

Hinnik möt sik denn ok up be Strümp, kehrte äwer in de Döhr nochmal webder üm un seggte: „„Zophie, wat meinst, is't nich ok beter, wenn den Schecken vörspann'n, in sin Apenjack rinkrupen un de repererte Bür, be nu alle bütschen Lanns= sarwen presentirte, denn sei harr mit anner Flickens flickt warden müßt, vun den gelen Lankin was nix bawesen; worüm sett hei sik bor ok mit in be Stickbirn!

As de Kutsch dicht vör't Kösterhus ankem, röp Hinnik sinen Jehann börch be Klapp tau: „Jehann, nimm Di ok in Acht, dat wi nich vör den Köster sin Döhr ok tau liggen kamt." Hei dach an gistern Nahmibbag. Hüt güng't beter; mit 'ne gehürig breib Unnerlipp un den Blick so'n beten vun babendahl pebbte Hinnik bi den Köster in, de grab 'n lütten Rüffel vun sin lütt Fru kreg, daräwer, dat hei Schultens Stin so fründlich „gun Morn" seggt harr un ehr dorbi in be Backen knäpen.

„Un bat segg ik Di nu ein= vör allemal," iwerte sei, „wenn Du noch einmal webber 'n starwend Wurt tau de Dirn seggen deist un ehr blos antickst mit'n Finger, denn geiht Di

dat gewaltig flicht! So'n olln Ekel! so'n olln
Sünner! so'n — so'n Nägenmürrer! so'n Esel
will Köster sin? will Ehman wesen, un grint un
lacht jede Strün vun Dirn an? Wat hest Du
mit dat Pestür vör? Segg? — Vör mi hest Du
nich einmal so'n fründlichen „gun Morn", vör
mi nich, ne, un bün ik Di doch antrugt, mit Liw
un Leben bün ik Di. Ik wull leiwer, ik wir'n
olln Bohnenschacht orer 'n olln Henkelpott
antrugt, as wi so'n olln gottvergätnen, nieder=
trächtigen Kirl, wat 'n ehrbohren Deiner vun
Gotts Wurt wesen will! Oh! — o —" Fru
Köstern kem ut de Pus. Wenn sei ehren Mann
so'ne Strafpredigt höll, wat ühr oft vörköm,
denn güng dat oll leiw Mundgeschirr wi 'n Pä=
permähl, un ümmer in eins furt, hastig un lud,
un so'n anstrengende Arbeit holl der Döster 'n
Vertelstünn ut, bälweniger so'n swacklich Geschöpf,
as uns' Fru Köstern wir.

As Hinnick Kohlhaas mit sin breid Unnerlipp
in de Stuw trampen ded, föll den Köster 'n
Hunnertpundssteen vun'n Harten; denn nu kunn
sin Frn doch nich bi't Bullern blieben, sei müß
nu jo up annere Gedanken kamen, woräwer sei
denn möglicherwies Schultens Stieu un dat fründ=
liche „gun Morn" vergeten künn. Hei güng

denn eigentlich de Jhr verschaffen deß vun dessen
hogen Besök.

Hogen Besök, dat smeichelte unsern Hinnik
nich wenig, un hei trök sik ok glief 'n drei Toll
stiwer in'n En' un brög de Lipp noch bet naß
vörn, un kek so führnehmschen, as hei kunn, wat
em anstahn deß, as wenn be Ap in'n Speigel
kikt, up unsern arm' spittelichen Köster dahl un
seggte: „Natürlicherweise — hm — hm" — Ja
hei harr sik unnerwegens in sin Kutsch so schön
darup preferwirt, wat hei ben Köster seggn wull,
woans hei em inladen wul, mittaukamen; nu
was't all webber fleiten ut sin Gehirn, dat sette
em so in Verlegenheit, dat em be dicken Sweit=
druppen äwer Back un Näs löpen. — Ja, hm,
hei dröff sik ok nix vergeben.

„„Na,"" seggte de Köster, „dat is woll ganz
wat Besonneres,"" un weudte sik tau sin Fru:
„„Gah doch mal 'n Ogenblick rute, hürst Du,
min Zuckerhauhn? Herr Kohlhaas be hett mi wat
tau seggn — un Du weißt ja — Allns paßt
nich vör Frugenslüd, be künnt nicht Allns
weiten!""

Fru Susemihlen meinte äwer, dat de Frugens=
lüd irst recht Allns weiten müßten, dat nix gahn
kunn, wotau sei nich ehr Meinung geben, un
dat harr sei ehren Mann all oft genaug seggt;
sei was äwer doch 'n gebillte Fru, sei wüß, dat
man fromm Lüd nich ümmer de eigenen Familien=
Ordnungen un Inrichtungen up de Näs hängn
möt, deswegen güng sei denn ok mit 'n ganz un=
schulligen Blick, as 'n Lamm Gotts, un 'n beipen
Kuir gegen Hinnik ut de Döhr; grüllte äwer
inwennig un was hellschen fallsch up Hinnik,
dat he sei stürt harr in ehr Vermahnungsgeschäft,
sei wir nich tau En' kamen, denn dat endte ge=
wöhnlich, dat den Köster sin Vörkopp orer süs
hervörragende Gliedmaffen mit ehren lütten
Tüffelaffatz Bekanntschaft möken. „Na,“ seggte
sei buten bi sik sülwst, „Dat is Di doch nich
schenkt!“ dreihte sik snubs üm un höll dat Uhr
an't Slätellock, denn sei was jo ok ebenso gaub
as anner Frugenslüd mit de leiw Nieglichkeit
begabt, un müß doch nu hüren, wat de riek Bur
vör Heimlichkeiten mit ehren Mann hewen künn.
Wer verdenkt ehr dat? De Männer plant't sülwst
de Nieglichkeit in de unschülligen Harten; worüm
hewt sei so oft Heimlichkeiten, wovun de Fru
nix weiten sall? Da is't jo gornich anners mäg=

Na, wi weiten't all, Heimlichkeiten wiren ditmal nich in'n Antoch. Hinnik köm allmälich so wiet, dat hei den Köster dat verkloren beb, hei müß mit em kamen. De Köster wir börchut nich afgeneigt, Hinnik sinen Wünschen tau willfahren, indem dat 't bor ogenschienlich 'n gaub Freuhstück bi affmieten beb, un dat wir ümmer mittaunehmen; denn sin oll lütt krätig Fru achter't Slätellock wir hellschen ökenomisch, un wüß dat Äten ümmer grad so intaurichten, dat dat inst all wir, wenn hei recht in'n Smack köm. Eigentlich is so'n ökenomisch wesen heil väl wirth, de Minsch äwerlad sik nich den Magen un tweitens hett hei ümmer gauben Appetiet; beides fehlt so Manchen so oft, drüm künn Mancher wünschen, dat sin Fru so'n praktische Fru wir, as uns' Fru Köstern.

De gaube Apptiet un be schöne Utsicht möt denn Susemihl ganz vergnögt; was gliek prat, harr den Haut all in be Hand un rönnte nah be Stubendöhr, bauts flög sei apen un — perbauts — en luden Schrieg un bor lag be ökenomische Fru un krümmte sik as 'n Worm up

Hinnik — denn Susemihl wüß sik in den Ogenblick nich tau saten — versöchte, de Fru Köstern webber up de Bein tau kriegen, wat sei em denn ok mit'n dankboren Blick gaud wüß, äwer ok taugliek 'n Blick up ehr slichte Hälft smieten ded, de den bet in'n lütten Thön trök as iskolliges Water, un em so väl seggte, as: Kumm Du mi man irst allein webber nuner be Ogen, denn kriggst Du Din Fett! Darup reterürte sei in be Käk, üm ben Kopp, be ganz unverschamten an tau swilln füng, in'n Emmer Water tau steken, un löp nahs, as be beiden Mannslüb weg wiren, in be Stuw hen un her as 'n bull Ding, un luerte up, dat sik ehr Opferlamm webber seihn laten süll.

As Hinnik bun sin krank Fru gahn wir, was be allein in't Hus bleben, denn Jetten was mit

Fleigen fik noch mal so recht verluſtirten un in
gauze Drummels up'n Diſch, uuner be Deck
un up'n Fautborn hen un her ſchöten. un fik
an be Brobkrömels un Bobberklackſen, be hier un
bor legen, recht gemüthlich beben. Tanten lag
bor in ben Alkowen un kek mit be ſpitze Näs
twiſchen be Garbinen bör un argerte fik äwer
bat luſtige Beih, benn äwer ehr Dochter ehr
Taukunſt kunn ſei nu boch nich ihrer irnſtlich
nahbenken, as bet be Köſter bor weſen wir. Jes,
wat was bat langwielig, ſo allein mit 'n geſunn'n
Korpus an'n helligen Daag in'n Bebb tau liggn;
bat kunn ok Tanten Zophie nich utholln.

„Wat Pump!" ſeggte ſei bi fik, „ſo lang will
ik upſtahn, bet ſei kamt." Un ber Deuwel hal!
ſei beb't; ſei ſtün up un güng in ehren bebrängten
Klebungsümſtänn mit be grot Nachmütz mit'n
Swinsmagenſnitt up'n Kopp in be Stuw hen
un her mang be Fleigen, Brobkrömels un Bobber=
klackſen; boch bat wür ehr tauletzt ok langwielig.
Da föll ehr in, bat ehr leiw Hinnik ehr jo 'ne
niege Mänting ſchenkt harr tau ehren Geburts=
bag, un bat ſik bat noch ümmer nich brapen
harr, be mal recht ümtauprobiren un ſik bör be

Nahwers dormit seihn tau laten. Wo wir't, wenu sei nu be Mänting 'n beten ümbünn un sik dormit vör'n Speigel stellte? De leiwen Evas= böchter sünd taufreden, wenn ehr Putz Nümms seihn kann, wenn sei sik denn man sülwst in ehren Putz seiht. So ok uns' Tauten Zophie. Fuck, suck; sei up be barwsten Fäut nah't Kleber= spinnt un' be Mänting rutgehalt un ümgebunn'n, vör't Speigel gestellt un ringekeken. „Jes, wat sei mi nett sitten deit, dat warb be Annern mal argern, wenn't nu irst köller warb un ik mi dor= mit in't Dörp seihn laten kauu. 't is be niegst Mod, as sei be Stadtdams brägen." So äwer sik sülwst un ehr Mänting sik freuend, strebelte sei sei ümmer mit be Hänn'n nah dahlwats, as wenn't 'n Muskatt wir.

Je, 't wir ok 'n heil prächtig Mänting un sei stün ehr ok heil schön, man müß blos nich nah unnwats seihn, wo't wegen be bedrängten Klebungsümstänn nich ganz besonners laten deb. Tanten Zophie stünn so nu woll 'n teiu Minuten, strakelte, swögte un freute sik, un sei was ganz in sik weg, as mit enmal be Döhr apen reten würb un uns lütt spittellich Köster, un achter em ehr Hinnik rintreden deben. „Huch!" seggte Tanten un rutschte in be Huk tausamen licherweise up'n Dod verküll'n!'" "'

"Rut! rut!" röp Tauten Zophie un schupste
ben Köster sin Hand trügg, de hei ehr truhartig
henrecken deb un sik nich slicht wunnerte, wat
de ehrbohr Fru Kohlhaasen hier vör Manöwers
bebriewen deb. "Rut! rut!" röp sei, un höll
be en Hand vör be Ogen un mit be anner be
Mäting un'n tansam. —

Na, Hinnik tröck denn den Köster vun achtern
an be Rockslippen webber mit sik ut be Döhr,
un Tanten reterürte mit Mänting un Allns in't
Bebb, schämte sik so bägd, dat sei gor kein
Antwurt vun sik geben deb, as Hinnik sin Näs
börch be Döhrenritz stek un frög: "Zophie, künnt
wi nu kamen?" Endlich let sei denn so'n
liesen Lud vun sik hören, un Hinnik treckte taun
tweitenmal mit ben Köster in be Stuw.

Tanten pöllte sik denn nu ok bald ut bat
Unangenehme herut, un bat Gespräck breihte sik
up Jetten ehr Billung, wobi be Köster ümmer
nah ben Disch heukel, wo be Fleigen an be
4*

Awerreste dun enen Awerfluß sik verlustirten;
hei kek mit en Gesicht, as wenn hei de Fleigen
beneiden deb, un wat ok würklich de Fall wir,
denn dat Freuhstück let noch ümmer up sik töwen,
wat hei all so schön sik utmalt, un wo hei all
·in'n Geist de Fingern nah lickt harr. Ganz
mißgestimmt würd be oll arm Köster, as Tanten
Zophie em apenborte, dat sei em girn en beten.
Vermünnerung vörsetten wull, äwer dat sach hei
woll in, dat sei wegen ehr Krankheit nich rut=
gahn kunn; Hinnik bröffte sik doch nich so wiet
vergeten un Deinstbirnsarbeit daun, un anners
was jo kein Minsch in't Hus. „Also,“ sähd
sei, „nehmen S' 't man nich äwel.“ Dat was
hellschen sital; Susemihl müß frielich so daun
ut Höflichkeit, as wenn hei börchut ok nix an=
nehmen wür, wenn sei em ok wat vörsetten. 't
was würklich sihr sital un unangenehm. De
Utsicht up dat schöne Freuhstück harr sinen süß
all nich lütten Apptiet noch verdummwelt, un nu
gornix? All be schönen Wüst un Schinken, de
em up ben ganzen Weg all ümmer vör Ogen
danzt habben, schrumpten nu mit enmal so tau=
sam, dat man blos noch be Sluhs un afgelickte
Knaken dor rümswewten. Je, un dorbi den
Hunger, den Apptiet, un benn ut verdammte Höf=

wir, mit enmal 'n ſihr kolln einbönigen Kirl; be Erinnerung an ſin beter Hälft, be tau Hus up em luern beb, beb ok ehr Deil bortan, bat bat Tanten Zophie bannig ſwor würb, bat ut ben Köſter ruttaubringen, worüm ſei em eigentlich halen laten harr.

Hinnik künn in ſo'n Angelegenheiten gor kein Würb maken, ben güng bat benn binah ſo as Jochen Pott be ümmer nix Grots ſeggn kunn.

Tanten kreg äwer boch nah un nah ſo väl ut ben Köſter rut, bat bat Beſt' vör ehr Jetten wir, wenn ſei ehr Jetten nah be Stabt in Pangſchon ſchicken beb. „Wat is Pangſchon?" frög ſei ehren Mann lieſ in't Uhr. „„Ja, ik weit bat jo ok nich;"‘ ſähb Hinnik webber eben ſo lieſing in Zophi ehr Uhr.

„Ja, benn müßt Du mal ben Köſter up'n ſchicklich Wies fragen baun; äwer bat hei ben Reſpect nich verlieren beit."

Un Unkel füng benn ok an: „„Jah, Pang-ſchon — Pangſchon — bat mag woll ganz gaub

sin mit de Pangschon vör uns' Dochter, äwer
— äwer wo is dat man gliek doch noch mit so'n
Pangschon?"''' —

„Je," köm Zophie dormang, „dat weißt Du
doch woll." Sei wüß't jo irst recht nich, äwer
des' Bemarkung müß doch den Schien afsmieten,
as wenn sei't beid gaud wüßten, dor man blos
nich up kamen kuun'u, as güng ehr dat so as
oll Boß, de ok ümmer nich up kamen kunn up't
Pird, den ümmer irst Einer nahböhren müß.

„„Ih,"'' seggt Hinnik, as de Köster noch
ümmer nich nahböhrte:

„„„Dat Einen dat doch so ganz ut'n Sinn
kamen kauu, wat dat vör'n Dings is, so'n
Pangschon. „Je, ik hew dat doch so gaud wüßt,
as wi ik weit, dat tein und vier twölf sind."''

Susemihl säh noch ümmer nix, hei dach noch
an dat verlurngahn Freuhstück.

„„Herr Susemihl, helpen S' mi doch up de
Gedanken vun wegen de Pangschon."''

Nah un nah köm de ben so wiet, hei müß de
Wustsluhs un de Schinkenknaken ut 't Finster
smieten un Hinik dat ut'nanner setten, woans dat
dat mit'u 'n Pangschon is.

„„„Ja 't is recht,"'' seggte Hinnik, as Suse=
mihl mit de Ut'nannersettung prat wir. „„„'t is

man, dat ik denn nich mihr äwer min Döchting
waken kann; dat deit mi doch leed, sei nuner
luter frömme Lüd tau weiten. — Doch wenn't
nich helpt, denn helpt dat nich; dat is jo ok
nich anners mägelich, uns' Staud be verlangt dat
jo so, dat wi uns' Dochter so'n Ertreckung ge=
neiten laten. Wi hewt jo dat Geld, wi dröfft
dat vor nich up ankamen laten; un denn briggt
dat jo ok sin Zinsen, wenn Jetten dadörch gne'
Fru orer süs doch so wat warden deit. — Hinnik
da müßt Du Di denn man in dessen Dagen
gliek up'n Strümp maken und nah be Stadt
führen, damit dat Du 'n richtige Pangschon
upgabeln deist, wo wi s' denn henschicken künnt."

„„Natürlicherweise,"" antwurte Hinnik un
be Ünnerlipp köm wedder bet breder taum Vör=
schin; börch dat Nichweiten vun wegen be
Pangschon wir sei ganz lütting worden, wo't
nu äwer wedder güll sik tau bosten, ba köm
benn ok be Lipp wedder patzig hervör.

„Dat Best äwer wir" — flüsterte Zophie, ehr
spitz Näs in Hinnik sin Uhr — „min Meinung
nah, wenu Du den Köster bormit hennehmen

wenn wi uns kaum Sünnabend inrichten, denn
gaht jo doch Seier Migelsferien an, un Sei ver=
sümen nix dorbi; Seier Fru warb dor jo woll
mit inverstahn sin?"'"

„Jah, wenn s' bat man is," antwurte Suse=
mihl ganz dünn, hei würd daran benken, wat em
bevörstün; wenn hei nu tau Hus kem, denn
dröffte hei üm Himmelwilln nix vun tau Stadt
führen reden, dat was nun enmal Fru Suse=
mihle ehr Dod, wenn ehr leiw slichtere Hälft
ahn ehr 'n Vergnögung mitmök. „Jk bün süs
girn dabi," sette hei nah 'n lütt Besin'n hentau.

„„Na topp!"'" seggte Hinnik, „„also 'n
Sünnabend —"'"

Bum — bum — bum — kloppte wer an be

hier was Jochen Pott sin Leiw tau Jetten
Kohlhaas, un be vör be Stubenböhr was Jochen
Pott sülwst eigenhännig.

De gauze Nacht harr Jochen sik mit sin
Gedanken rümkakbalgt un harr kein Og nich
tau habb. Hei harr 'n groten Slachtplan up=
smeten, ben hei hüt börchtausetten Willns wir.
„Wat," harr hei bacht; wenn hei benken beb, benn
bach hei ümmer forsch vun be Leber weg, ganz
as jeder anner ihrlich Minsch, blos in Gegen=
wart vun anner Lüd wullt nich recht mit be
Sprak. Also, „wat," harr hei bacht, „'t is all
as 't is; helpen helpt bat nu jo boch enmal
nich, un wat möt bat möt, un be Minsch möt
friegen! Wenn ik mi noch lang besin'n bau,
benn snappt mi noch gor en Anner bat Mäten
vör be Näs weg un ik kann in'n Maan kieken
as be Ap in'n Speigel. 't is man blos üm
be Würb, mi föllt, wenn ik so vör ehr stahn bau,
nix nich in; un wenn sei mi benn mit ehr groten

Ogen so ankieken beit, denn föllt mi dat, wat ik
wüß, ok noch in'n Dreck. Ik möt mi hüt mal
tauhopen nehmen; 't is nu enmal so'n Be-
stimmung, dat ik dat Mäten hewen möt. Wat
möt, dat möt, un helpen helpt dat nich un töwen
dörf ik nich; also gah ik man hüt glieks nah be
Olln ran un holl üm Jetten ehr Hand in alln
Jhren an un segg: Wat möt, dat möt, un ik
möt friegen un — ja — un — un da be
Dugenden vun Jur Dochter mi angrepen hewt
— un ik inseihn hew, dat mi Jur Dochter an't
Hart wussen is — un ik nich ahn Jur Dochter
leben kann, — so bün ik kamen, üm as sik dat
gehürt, in allen Jhren üm Jur Dochter ehr Hand
antauholln. — — Ji weit't, wo't mit mi
stahn deit, wat ik intaukamen hew un woans ik
't Jur Dochter beiden kauu. Väl hew ik nich,
äwer naug is't doch, darüm frag ich Jug: Sall
ik Jur Dochter hewu orer nich? — Je, un
wenn sei denn „Re" seggn daut'? — Je, wat
benn? Denn bün ik jo woll kumpabel un
häng mi up — ik bau mi wat taum leben. Äwer
wat, be seggt ok nich ne; ik bün jo 'n ihrlichen
Kirl, un wenn be Olln nich mihr wirthschaften
mägt, denn föllt be Häuw tau min, un be Olln
sett sik up't Ollndeil; wat staht sei denn ut?—"

Sünn äwer de Half räwerkieken ded mit dat
eine Og, da stünn hei all fir un fahrig ange=
trocken vor sin Kath un röp den leiwen Herrgott
an, dat he doch in des' Sak up sin Sied treden
müg. Darup füng hei an iwrig Blaumen tau
snieden un de Blaumen tau einen Strutz tau=
sam tau wrummeln, un as be fahrig wir, würd
de an'n Bussen, man blos noch tau Pröw, steken,
un nu würd noch einen Strutz bun'n, wobi
Jochen halwlud vör sik hen sähd: „De is vör
ehr —"

„„Dat Di be Hahn hackt!"" röp 'ne Stimm
in dessen Ogenblick äwern Tuhn her, un in de
sülwig Richtung, wo be Stimm herköm, da glänzte,
vun de gülln Morgensünn beschient, Jobst sin
robe Näs räwer as 'n Rubin ut be griese Asch.

„„Jochen, wat bebüd bat? Wat makst nu?""

„Je," segte Jochen ganz verlegen, „Jobst bat
will ik Di nahsten seggn."

„„God dam, Minsch, Du kümmst mi vör as 'n
Heirathskannebaten; segg, Du büst boch woll nich
gor up so'n verblennten Weg? Wat heit mi
bat mit Din Blaumenwerkskram? Wat?""

„O, nir nich."

„„Minsch, ik rahd Di as Din best Fründ: Gah nich up bösen Wegen!""

„Jobst, ik segg Di blos so väl: Wat möt, dat möt!"

„„Jochen, dat is ok 'n ganz richtigen Gedanken vun Di, darin hest Du recht; äwer be Minsch be irrt sik ok mitunner un süht dat vör nothwennig an, wat all sin Lebe kein Nothwennigkeit vör em is, wat em blos tau sin Schaden is. Segg mi in alln Irnst, wat hest Du vör un wat wullt Du? Wat möt denn?"" —

„Na," seggt Jochen un kek sik uppu Thönen, „Du kriggst bat jo doch enmal tau weiten, ik möt un will friegen."

„„Kunn 't mi woll benken nah besse Anstalten, be Du bebriwen beist. Äwer Minsch, bebenk mal, in wat vör ein Elend Du Di sülwst stötst; bebenk Din En'n! boch Du büst noch tau jung, Du kannst bat noch nich bebenken, brüm lat boch wenigstens Di rahden vun'n vernünftigen un'n erfohrn Minschen, as wi ik bün; lat Di seggn, Jochen: wer friet is be größt Esel, den jemals be Sünn beschient hett.""

„Denn was min Vaber ok ein."

„„Gewiß! bat is wohr, hei hett ok nich up

nu noch friegen wist, da it Di warn dau un
Di bibben dau, denn büst Du noch mihr as 'n
Esel; God dam, denn büst Du 'n Schaapskopp!
Süh, Ehstand is 'n Wehstand, hett sik noch all
min Daag so lang as it deuken kaun bewiest;
it hew reist, it hew in Norbn un in Süden be
Minschen betracht, un hew sun'n, dat sei narrens
börch be Friegeratschon glücklich worden sind, dat
narrens dat in Erfüllung gahn is, wat sei hofft
hewen; be Friegeratschon hett sei oll in't Unglück
störrt! Süh, wat fehlt mi? It kauu gahn un
kamen, wenn it will, mi brummt kein Minsch
nich wat; it hew nich nöhbig Gebinenprebigten
tautauhüren un wat nich süs noch allerlei Unan=
nehmlichkeiten vörfalln. Wist Du nu vernünftig
sin, denn stek Di be Blaumenbouquetters in 'n
Blaumenwas' un freu Di daräwer, so lang as
sei sik frisch hollt; äwer wieder bebriew nix da=
mit, hürst Du, Jochen? Si vernünftig!""

    „Je, Jobst, wat möt, bat möt."

    „„God dam! papperlapapp, so'n Dummheit
möt nich! mak mi nich irst falsch mit Din dumm

Tobacksbamp, de ut den lütten swartgeblökerten Kalkstummel uptreckte, as 'n glönige Kahl in'n Backawen, wat en seker Teiken was, dat hei sik dägd argerte; ja, hei argerte sik äwer Jochen sinen Unverstand, dat he sik nich vermahnen laten wull un ümmer wedder mit sin dämlich „wat möt, dat möt" anköm, wenn hei meinte, dat hei em nu rüm harr. Un as Jochen noch sähd:

„Ik hew mi dat nang äwerleggt!" platzte Jobst los:

„„'n Dreck hest Du Di äwerleggt! sünst wirst Du woll up vernünftigere Gedanken verfolln. Ik seih, Du büst steinpöttig; gah, gah meintwegen direktemang in't Mallühr herinner; äwer kumm nich naher un jammer mi be Uhren vull, wo Di bat gahu beit; ik hew Di nang warnt, 't is äwer ümmer so, ihre be Uhl sik nich be Flüchten verbrennt, ihre let sei nich nah, in't Licht tau fleigen.""

Bauts kihrte Jobst sik üm, hümpelte stramm 'n En'n lang weg, dreihte sik äwer noch enmal üm un kek wedder mit sin Nässtück äwern Tuhn. „„Jochen, min Sähn,"" sähd hei in'n weiken Ton, köm ganz wedder taurügg ün kreg Jochen bi be Hand tau saten — „„Jochen, slah in Di, ſpill an nehmen."

„„Ach wat, Pogg hier, Pogg dor; wen Du 'n
Pogg wirſt, denn würd ik Di nich afrahden.
Poggen un all dat anner Veih de hewt nix tau
ſorgen, wenn de Jungen geburen ſünd, denn
helpt dat ſik ſülwſt börch de Welt; Minſchen=
kinner äwer de wüllt irſt twintig Johr olt warden,
un denn künnt ſei ok noch nich 'nmal up ehr
eigen Fänt ſtahn un mät ſik ümmer noch up
Vabbern orer Mubbern ſtütten, de ehr leiwe Noth
oft dormit hewt. Doch dat is dat Wenigſt, dat is
gornix; äwer mit en Fru äwerein tau kamen,
dat is de Knuppen, den de geſcheitſten Köpp nich
löſen känut. Kiek, en Frugenstimmer hett lang
Hoor un korten Verſtand, plegt man tau ſeggn,
un dat is ok ſo. Wenn'n Mann de geſcheitſten
Infäll vun de Welt hett, ſo'n Frugenstimmer
kauu dat nich inſeihn, kauu de Geſcheitigkeit nich
begriepen, un is mit aller Kraft un Liſt gegen
den Mann ſin Infäll; in Liſtigkeit is ſo'n

Frugenstimmer hellsch fir, sei äwerlistet den arm ihrlich denkenden Mann mit sin Gescheitigkeit, un wat hei sik ok afmaracht, hei kümmt tau nix. De Frugens sind be Hemmschauhs vun den Furtschritt; sei sünd be Felssteins, de den Furt= schritt in'n Weg liggn, wenn be nich wiren, wi Minschen wiren all väl wieder in be Welt, Jochen, bat lat Di seggn, bat kannst Du glöben. Wenn Du nu Dinen Hof, Din Wesen vergrötern wist, statt tau Grun'n richten, denn slah Di be Heirathsgedanken ut'n Kopp un lew glücklich, Jochen, ik will Di ümmer taur Sied stahn mit Rath un Dath, un denn kannst Du mi jo vör Din Fru anseihn, wenn Du börchut wen üm Di hewen möst.'"

„Je, Jobst," meinte Jochen nu, „dor hürt doch woll en beten starke Inbillungskraft tau, be ik denn boch nich hew, un wenn Du Di ok in'n egengemakten Unnerrock stecken deist."

„„Jochen!"" fohrte nu Jobst webber up, „„lat bat Spaßen sin, ik bün furchtbor irnst gestimmt un kann bat nich lieben, wenn mi Einer lächerlich nuner be Ogen geiht in bessen Moment; taumal da ik bat gaub meinen bau.""

„Ik weit nich," seggte Jochen, „wat Di egentlich be Frugenslüd bahu hewt; was boch

mi beslaten un will dat mal up mineu Ünner=
gang wagen, wo Du so bang vör büst."

Jobst sähd gornix mihr, dreihte sik kaum
tweiten Mal üm un güng, ditmal ahn wedder
taurügg tau kamen, nah Kröger Lüttmann un
erklärte vör de anwesenden Gäst Jochen Pott
vör'n dummen Jungu, un prophezeite, dat nix
ut em warden küun. De Gäst lachten, wiel sei
Jobst sineu Frugenshaß kennten; harrn sik dor
wieder nix bi dacht, orer dacht mit Jochen, wiel
sei doch grötsendeils all girn Frugenslüb lieben
muchen: „Jobst is nich klauk, Friegen möt sin.
Arbeidn, Friegen un Aten un Drinken dat sünd
de irsten vier Gebote.

Jochen kek Jobst 'n Tieblang nah un dach
in sik: „Wenn ik dor wat bi daun küun, den möt
ik dat, dat be oll griesgramme Kirl sik noch in
sin ollen Dagen bet äwer be Uhren verleiwen
ded; lachte darup un fleut'te sin Stückschen un
würd ganz lustig, wedderhalte benn un wenn sin
Anred, be hei an be Olln holln wull, un

schonsrock ut't Kleberspint, den hogen Haut un'
be swart sieden Hanschen, de sieden West mit
de twei Reihg blank Knöp dörfte natürlich ok
nich fehlen; dat ein Blaumenbouquet würd vör
de Bost steken un dat anner nöhm hei in de
Hand. So trippelte hei nu 'n Stünn vör'n
Speigel up un dahl; strakelte denn un wenn be
gelen Flaßhoor bet achter'n Uhren, un zuppte
hier un zuppte bor, un ümmer höll em dat noch
taurügg, noch ümmer kunn hei sik nich entsluten,
den Gang tau gahn, de em in sin Glück lebben
süll. Bannig bullerte em dat Hart in't Liw, un
noch niemals in sinen ganzen Leben wir em wat
so swor solln, as bes' Gang.

Endlich doch sot Jochen sin Hart mit beide
Füst an un — hei stunn buten vör de Döhr,
hei was up'n Weg, un nu man grad bör; un
richtig, obschons dat Hart em hellsch tau Kihr
güng, Jochen let sik nich verbiestern, hei köm up
Kohlhaasens Hof an; hier würd dat Bullern in de
Bost äwer noch buller, un hei kunu so absolute-
mang nich intreden, em wir, as wenn em de
Athen baben in de Kehl behacken blew. Hei
versöch vun de ein Sied mit dat ein Og in't

Finster tau kieken, üm sik tau äwertügen, ob ok nüms Fröms in be Stuw wir, benn benn künn hei börchut nich mit sin Gewarw tau Schick kamen. Ne, hei sahg keinen Minschen in be Stuw; uns' Drei, be seiten in be ein Eck, be man vun Jochen sin Standpunkt ut nich seihn künn. Nu kek hei sik rundüm, ob em ok Keiner seihn harr; da Einer harr 'em seihn, dat was Pluto, be oll Käbenhund, be nu 'n mörderlichen Spectakel an= füng, dat dat be höchste Tieb vör Jochen würd, dat hei in't Hus kem, wenn man em nich bor achter't Finster in sin Hochtiebsbirrerantoch brapen süll.

So, nu enmal in't Hus rindrewen, güng hei benn ok stramm up be Stubenböhr los, nehm sin ganz Kurahsch tausamen un bullerte mit all sies Knäwel an be Döhr, as wi all weiten. Köster Susemihl was bi dat Ankloppen piel in 'n En'n sprungn, benn hei dach grab an sin leiw Fru, wat be bortau seggn würd, wenn hei 'n Sünnabend nah Swerin führen wull; hei was heil un beil in sin Gedanken weg un wull sik grab be Antwurt maken, be em warden würd. Dat Ankloppen bröch em tau sik sülwst, äwer hei was nu nix anners vermauden, as sin leiw Knn= nigunde; hei harr jo noch 'n Schinken bi ehr in Solt; wenn be em nu gor hier upsöch, benn

5*

slög't Gewitter in, dat wüß hei; also kein Wunner, dat hei an Hänn un Fäut tau bebern anfüng.

Hinnik lüchte sik bet inne Höcht, röp kort weg „rin!" un Tanten Zophie tröck sich dat Äwerbedd äwern Kopp, so dat sei nich tau seihn wir. Up Hinnik sin „rin" makte Jochen bebernd un verzagt de Döhr apen, un kreg 'n hellschen Prell, as hei den Köster dor stahn seihg, de utsahg, as wenn Hinnik sik 'n Kirl utstoppt harr, den hei in de Arwten, vun wegen de Spatzen, setten wull.

Hinnik mök grot Ogen, de Blaumenstrütz schienen em so wat Besonneres tau verkündn. „Na Jochen?" seggte hei, „Du sühst jo natürlicherweise ut wi 'n Köstbirrer, wat hest Du denn up'n Harten?"

Jochen was dat Hart in'n Stäwel sackt, as hei seihn, dat de Fomili Kohlhaas nich allein wir; de Sprak blew em in de Görbel behacken, so dat hei puterroth utseihn würd un de Sweit em in dicken Druppen vun be Näs un äwer de Backen löp. „„O — och,"" köm so bilütten rut; „„och Unkel, ick wull Sei girn allei""" — hier slöck hei mal brög dahl — „„giru allein ünner vier Ogen —"" Klacks full'n Sweitdruppen up be Jr; so hellschen grep em dat an.

„Dat möt denn jo woll natürlicherweise wat

mihl un reterürte ut be Stubendöhr hernt.

„Na, nu legg man los, Jochen," seggte Hinnik.

Jochen drögte mit'n Rockslippen sik dat Gesicht af un würd heil un deil blag dorbi utseihn, denn de oll blag Rock, de mal frisch upfarwt wir, farwte gefährlichen af.

„„Je, Unkel,"" füng Jochen nu an; „„wat möt, dat möt —""

„Da heft Du natürlicherweise recht," nunerbröt em Hinnik, un kek äwerwendlich up em dahl. Up Unnerbrekungen was Jochen nich instubirt, un deswegen müß hei sin Red nochmal anfangn:

„„Wat möt, dat möt; ik möt friegen —"" Klacks sull webber 'n Druppen up be Jr' un Jochen drögte webber un würd noch blager, wat hei jowoll marken müß, denn hei füng an tau bebern — „„möt bat möt — möt friegen — ba be Dugenden vun Jur Dochter —""

„De hett sei —" wull Hinnik ünnerbreken, äwer bitmal let Jochen sik nich ünnerbreken; „„mi angrepen hewt —""

„Ja, Du sühst ganz angegrepen ut," meinte Hinnik.

„„Ja,"" ſeggte Jochen, brögte nochmal un dach dorbi: „„Jes, wat is't doch vör'n ſwor Stück, ſo'n Heirathsandrag. Je, äwer nu was hei webber ut de Red ſoll'n. Hei beſünn ſik — angrepen — ja, angrepen was dat Letzte weſt; alſo: „„„hewt; un ba ik inſeihn hew, dat mi Jur Dochter an't Hart wuſſen is —""" Klacks! twei Druppen.

Tanten Zophie ehr ſpitz Näs harr vun Anfang an all nuner be Bebbeck rutkeken un wer bor man Arg ut hatt harr, harr ſei gewohr warben kunnt; nu köm bi deſ' Red ehr link Uhr ümmer bet taum Vörſchin; un Hinnik füng au, ſin leiw Mundwark ümmer gröter apentaurieten, un be Ogen kömen ümmer mihr ut'n Kopp rut.

Jochen fohrte wieder: „„„un ik nich ahn Jur Dochter leben kann, ſo bin ik kamen, üm in alln Jhren —"""

„Wat? Wat? Wat is bat?" ſchriegte nu mit enmal Tanten Zophie up un köm uuner bat Bebbeck rutgefohrt as 'n upgejagten Haſen ut'n Kohl in einen Fuhrijah, bat Jochen, be in den Ogenblick jo woll glöwte, be Bähn brök in, ſik vör Schreck uppe Tung bet un taugliek in be Huk tauſam ſchöt as 'n Klappmetz, wo be Febber an lahm worden is.

„Wat? Min Dochter, unſ' Jetten, ſo'n un=

all sin Sin'n verluren, hei wüß knapp mihr, wo hei wir, dat güng all mit em ruud; Disch un Bänk un Stäuhl harren sik vör sineu Ogen ansat un danzten jowoll Ringe range Rosenkranz. Hei trngte sik nich ut sin Huk in de Höcht tau kamen, indem dat hei bang wir, em wür de Swindel wedder lingerlang an de Jr' hensmieten.

Tanten Zophie kunn sik vor gornich in saten, wo so'n pauwrer Minsch, wenn hei ok halweg tau de Familie gehürte, wo so'n Minsch dat sik in= billn künn, dat de riekst Bur tau Warsow em sin Dochter taur Fru geben süll. „Herr Du meines Lebens!" begehrte sei up un köm binah ut'n Alkowen in ehr bebrängten Kledungsümstänn herut, as irsten, wenu nich Hinnik sei taurügg brängte. „Herr Du meines Lebens, so wat is mi benn boch ok noch nich in mineu Leben vör= kamen; so'ne Frechheit! Je, dat ward jo woll ümmer buller ward dat jowoll; dat schieut mi

run be Blisaatsch anstifft tau sin, dat is so en, be
ehr Näs äwerall mit mang stickt un nu barup
sin'n beit, uns Argerniß tau maken. — Kümmt
so'n naktiger Minsch un meint, dat wi keinen
annern Swiegersähn kriegen künnt, as hei is!
Wat wullt Du Snappsnut uns' Dochter beiden?
Stüerst Du woll up be Utstüer un meinst, dat
Di be gaub tau paß kümmt? Dat Di be rutrieten
sall ut Din verschult Kath? Je, dat wir benn
boch — ba künn uns' Jetten jawoll, dat swacklich
Kind, achtern Plang hergahn, orer mit be Meß=
kohr tau Felln schuben? Ne, uns' Dochter kann'n
betern Mann kriegen; ehr Taukunft sall enen
annern Schien — ach — ach is arm Person bün
krank un möt mi nu so bägb angriepen; ik kann
jowoll ben Dob borvun kriegen."

„„„Da, da,"" röp Hinnik, „„ba is noch Ka=
melln, briuk man rasch, baß, ba, brink min Sö=
ting, brink.""" Ja, Hinnik was 'n sihr upmark=
samen Ehmann, dat möt ein em laten. Zophie
föll in be Küssens taurügg un Hinnik harr genang
mit ehr tau baun, dat hei sik nich wieder üm
Jochen bekümmern kunn; be äwer was enblich
so halweg taur Besinnung kamen un seihg nu
in, dat hei ut all sin säben Himmels, wo hei
noch bessen Morn in rümswewt harr, mit enmal

was em tau Maud!

„Jochen, dat harr Di Din egen Vernunft seggen müßt, dat Di dat so gahn würd," säh mit 'nmal en Stimm achter Jochen, as hei ut Kohlhaasens Pnrt rutkem; des' Stimm was webber Unkel Jobst sin, de ut dat kallührt Gesicht richtig rutfingerert harr, wat Jochen passirt wir.

„Wo kunnst Du nu woll," fohrte Jobst wieder, „afgeseihn vun de Dummheit, blos den Gedanken tau hegen, dat Du friegen müßt, nu noch babenin glöwen, dat be hochnäsigen Kohlhaasen Di arm Spittelsitz ehr enzigst Dochter taur Fru geben künnen? Minsch, God dam, ik glöw, dat ward jowoll ümmer slimmer mit Di, un Du müßt taulezt noch reinweg nah'n Dullhus."

Jochen hürte man halw, mit em süng dat all webber an tau banzen.

„Nu gah man tau Hus," sette Jobst noch hentan, „vielicht hett Di dit 'n beten kurert un Du warst jowoll vör't Irst nich webber up be Heirathgedanken kamen."

„„Jobst, dat Mäten hett mi't anbahn!"'"

„Ach wat, segg man den Ballberer Schrapen=
meß bescheit, dat he Di mal taur Aber laten deit,
dat ward Di ganz gesund sin; nu gah mit Gott!"
Dormit dreihte Jobst sik af un hümpelte graden
Wegs nah de Blisaaten.

Jochen föhlte sik nah sin Kath, äwer nunwer=
wegs höll em en Jeder an: „Dag Jochen!"
'Dag Pott! Je, Minsch, wat büst Du hüt nobel?"
So güng dat ümmertau, un Jochen wüß nich,
ob hei in be Jr sacken orer in'n Hewen steigen
süll vör luter Scham; hei glöwte ut all de Ge=
sichter tau lesen, dat sei All all bescheid wüssen,
wo em dat gahn müß, wo schön hei anlopen
wir. 't was jo ok wohr, dat künn ok ein Jeder
inseihn; anlopen wir hei dägd.

Eben so'ne Upregung, as wi Jochen bi de
Kohlhaasen anstifft harr, stiffte nu ok bi de Blie=
saaten de Nachricht an, de Jobst dor standepeß
bröch, dat Jochen üm Jetten anholln harr.

„I du meine Güte!" fohrte Tanten Lena
up; „Nu geiht jowoll de Welt ünner." Wo kann
dat angahn, wo kann dat angahn? If treck min
Hanne tau de best Husfru ranner, üm den Däs=
battel vun Jochen mit'ne dägd'ge Fru tau ver=
sorgen, un de Snakenkopp geiht hen, ahne dat

en starwend Minsch bor 'n starwend Wurt vun
weit, un hölt üm be bicknäsige Dirn vun Jetten
Kohlhaas an? Vaber! Fritz! Je, nu segg bor
boch of mal 'n Wurt mit tau! Dat is benn jo
boch rein üm verrückt tau warben is bat jo boch.
I, besse Floßfoop vun Bengel, beff' Mulap, be
kein Wurt nich tau Weg bringen kann, wenn
mal 'n Minsch mit em spreken will? beff' Ölgötz,
be geiht hen un will be riekst, bicknäsigst Burbirn
friegen!"

„„Nu, Mubber,"" föll Fritz tüschenb bor=
mang, „„jeber Minsch hett sin egen Hart, un
wat bat em seggt, bat möt hei baun.""

„Ach wat, Hart hier, Hart bor! If hew bat
ümmer mit em gaub meint; hei süll mi solgen,
benn kreg hei 'n gaube Fru un uns' Dochter
kreg 'n brukboren Mann, benn be Slapmütz let
sik am besten regiren, un so einen will if taum
Swiegersähn hewen, ben if mi trecken kann,
bamit if seter bün, bat min Dochter bat Tiebs
Lebens gaub geiht."

„„God dam, bat sünd nübliche Utsichten vör
Jochen,"" seggte Jobst, strek sik mit be vull Hand
äwer't Gesicht un rokte verbull ut sineu Stummel.

„Ja, bat sünd be besten Utsichten vör em,
benn hei is en Däsbattel, hei möt wen hewen,

be em ledden beit. Ik mein dat wohrraftig gaud
mit em."

„„Dat süht likster Welt so ut! Wat meinst
Du dortau, Fritz?" seggte Jobst, indem hei sik
nah Fritz ümdreihte, de mit de Hän'n äwer
de Maag gesolgt an'n Aben stünn.

„Ja," seggte Fritz, „t' is man, dat uns' Hanne
em so recht nich lieben kann; süs wir Jochen
mi all recht; hei is 'n flietigen Jungu, un wenn
hei dessen Hof äwernehmen deit, denn will hei
em ok woll vörstahn känen, Jochen is bi allebem
ok doch nich so'n Slapmütz, as wi hei utsüht."

„„God dam nich! süs harr hei nich den
Jnfall kregen, üm de riekst Burdirn tau war=
ben.""

„Ja, dat mein ik ok. — Äwer Lena, ik
müg doch nich, dat man min Dochter twingen
deit, wenn sei em börchut nich lieben kann."

„„Ach wat!"" föll nu Lena webber in,
„lieben mägen kümmt achternah; Hanne, dat is
noch 'n unerfohren Kind; wat weit de bun lieben
mägen; de gewöhnt sik licht an Jochen, wi hewt
uns jo ok irst aneinanner gewöhnt; in be irst
Tied, hewt wi uns bor nich männigmal kawelt,
wiel Du ümmer mihr tau seggn hewen wust,
as wi ik mi gefalln laten wull? Süh, nu hewt

wi uns so gewöhnt, dat wi all min Daag kein
Kawweli mihr hewt.""

„Ja," brummte Jobst vör sik hen, „wenu
Du slapen deist."

„„Lat mi man maken,"" resonirte Lena
wieder, „„Jochen is vor nu so schön afblitzt,
hei ward vor nich taum .tweiten Mal hengahn
un üm be Dirn anholln; nu ward hei vun
sülwst mihr bi uns verkihren, un denn, wenn de
Beiden sik man öfters seiht, denn treckt sik dat
all vun sülwst trecht. Lat mi man maken, lat
mi man daun!"" Sei löp ut be Döhr un be
Mützenbänner banzten noch forsch Mennuet, as
sei ok gornix mihr säh.

„Fritz," seggte Jobst, as Tanten Lena de
Döhr achter sik taumakt harr, „wenn be noch
lang lewt, denn glöw ik, stellt sei be Welt noch
up'n Kopp, grad so gaub, as wi sei Di up'n
Kopp stellt hett."

„„Wat?"" frög Fritz un kek ben olln griesen
Jobst an, as wenn hei nicht recht verstahn harr;
hei harr äwer ganz gaub verstahn; hei wüß woll,
dat sin Fru be Büxen anherr, un nix wir em
empfindlicher, trotz all sin Gaubheit, as wenn
Einer em dat nnner be Näs riwen deb; barüm

sóch hei denn ok gliek dat Gespräk up'n annern Gegenstand tau richten.

Jeder gehursame Ehemann, den be Panntüffel äwer'n Kopp swewt, spricht nich girn vun sin Fomilienverhältnisse; hei schämt sik dorvör; hei weit recht gaud, dat dat anners sin müß, hett äwer nich be Kurasch, sin Lag tau ännern; ge= wöhnlich is't ok all so wiet inreten, dat sik bor nix mihr bi daun let, dat Best is, vör be Hoch= tied sik be Fru tau trecken, as man sei hew'u will, denn denn is dat Frugenshart noch weik wi'n Kaukenbeech un let sik allerlei Form geben, nah be Hochtied, sett sik bor 'n Rin'n üm un denn is't Kueben vörbi.

Dat 3. Kapittel.

Worüm Susemihl in Gedanken gahn deit un woran hei denkt.
— Kunigunde kriggt dat mit't Weinen. — Achter de Spansch-
sleberheck. — Jobst hannelt gegen sin Prinzip. — Adjüs
Krischan! — Tanten Lischen smitt 'n Angel ut, äwer de
Fisch will nich bieten.

— —

Langsam un beberig güng Köster Susemihl
beip in Gedanken dörch Warsow, as hei bun de
Kohlhaasen dörch Jochen Pott berjagt worden
wir. Wo dach hei an, so beip in Gedanken? Hei
dach an sin leiw Kunigunde. Hei harr vördem,
as hei sin Hus verlaten harr, 'n swart Bäu up-
stiegen seihn; je nöger hei nu webder an sin
Hus ranner köm, je swarter un dicker seihg de
Bäu ut un je höger steg sei em äwer'n Kopp
tausamen; hei seihg all in Gedanken, wo de Blitze
üm em rüm lüchten un wo be lütt Afsatz bun
sin Fru ehrn lütten Tüffel em as Dunnerkiel
ünner be Ogen suste. Hei sünn stark barup,
wat hei tau sin Entschulligung vörbringen künn,

un woans hei dat antaufangen harr, ehr dat
bitaubringen, dat hei mit den Bur Kohlhaas nah
Swerin führen wull.

Susemihl habb de snaksche Angewohnheit,
tämlich lub tau beuken un mit de Arm un Bein
dortau bekelmiren, as wenn hei up'n Bühn stünn.
„Jah," dach hei, „wenn ik ehr verspreken dau,
wat mittaubringn, denn mag't woll noch am irsten
gahn, äwer sei nimmt am En'n man gornir nich
an, wiel allns Annere, womit ik ehr woll süs 'n
Freid hew maken wullt, ehr min Lebe nich tau
paß west is, ik hew blos Schells statt Dank da=
vör kregen. 't is 'n wohres Leiden, dat ik ehr
Wünsch un Gedanken nich so recht verstahn kann.
Gefällt mi dit, denn mag sei dat; mag ik dat
Swart lieben, denn höllt sei dat Witt vör't Best.
Ach!" hier süfzte hei beip up, „ach, un wat was
sei fröher vör'n taufreden, unschülliges Kind, as
sei noch nich min Fru wir; ganz dat Gegenpart;
wo hew ik mit min Gedanken up Rosen un Ver=
gißmichnichts swewt, un mit wat vör schöne Biller
hew ik min Taukunft utkliestert; dat be Welt
en rein't Paradis worden wir, wenn Allns so
prächtig in Erfüllung güng. — Wo kann de
Minsch sik irren! Ik hew dat all min Daag nich
glöwen wullt, wenn anner Lüd sähden: Herr

rechten En'n antaufangn; il will woll seihn, dat
il keinen Arger un keinen Verdruß hewen dau.
Ach, wo recht hewen de Lüd hadd! bi mi is noch
väl, väl mihr in Erfüllung gahn as wi dat. So
väl is gewiß: in mineu ganzen Leben frieg il
nich taum tweiten Mal, denn ick hew vullkamen
genang an beffen einen Draken habb; dat heit,
wenn il em irst los bün."

Sachten, äwer wiß föhlte hei nah deffe Würt,
dat fik 'ne Hand achter an finen Rockskragen
wat tau schaffen möl. Susemihl dreihte fik koit
üm un würd tau Maud as Jochen Pott in den=
fülwigen Ogenblick, da Tanten Zophie unner't
Äwerbedd taum Vörschin köm, de Hand gehürte
fin leiw Kunigunde.

Kunigunde harr dat Luern achter de Finster=
schieben nich mihr utholln küunt; fei was rut
gahn, de Arger harr ehr in de frische Luft dreben,
un da harr fei denn ehren leiwen Schatz mit
Arm un Bein bekelmiren feihn un lud deuken
hürt; fei was an em vörbigahn, denn wenn
Susemihl lud dach, denn hür un feihg hei nix;
so was fei achter em kamen un achter em an

fram Hauhn, wenn man dat griepen will, un töwte, dat dat losbreken süll mit Dunnern un Blitzen.

Doch so as mitunner en Gewitter, wenn't vun be Firn ok heil bös utseihn beit, sik uplöst tau enen stillen Landregen, so süll ok dat Gewitter äwer unsern arm Susemihl sinen Kopp tau enen stillen Landregen sik uplösen, un de irsten Druppen fülln em all warm up'n Kopp dahl.

Fru Kunigunde, dat oll lütt, süs so krätig Ding, blös mit enmal ut ganz anner Piepen; sei weinte ehr snablangn Thranen un sahg heil jämmerlich dorbi ut, dat ehr Mann, de 'n weikes Hart harr, dat binah mit de Angst kreg un mein, sin' Fru kunn 'n Thransissel kregen hewen bi dat Döhruprieten vun vördem; hei wir sowat gornich gewennt. Thranen harr Kunigunde jowoll ehr Lewsdaag nich vergaten. Susemihl tröck sin beter Hälft sanft an sik mit 'n ganz bedröst Armsünner= gesicht un frög: „Min best Kind, wat is Di? Wat is Di, min Kunigunde, worüm weinst Du?"

'nmal mit't Ogenlüchten, un Susemihl ahn nix
Gaubs; dat Gewitter kunn jo doch noch kamen;
un hei schöt binah wedder in einen Klumpen tau=
samen, mit so'n Ogen sahg sei em an; äwer ne,
sei was tau sihr intwei, tau swor beleidigt, sei
kunn kein hart Wurt loskriegen, sei flemmte man
blos, wobi sei oft mit be Stimm äwersnappte:
„„Noch Spott, — Spott babenin? — Wat mi is?
O Joseph, Du hest mi weih bahn, — sihr weih; wie
kannst Du Di nu noch ünnerstahn, mi tau fragen,
wat mi is? Wo kannst Du Di verstelln? — Bün ik
vör Di noch Din leiw Kunigunde? O dat wir, dat
is mal wesen; be Tieb is äwer längst hen. Wo
kannst Du mi in dessen Ogenblick woll „Din
leiw Kunigunde" heiten, wenn Du mi eben vör'n
ollen Draken estemirst? — Gah! — Tru un
ihrlich hew ik bat ümmer mit Di meint; hew
mi schinnt un plackt, damit uns' Verhältnisse 'n
betern Schick kregen; hew Allns bahn, hew Allns
opfert üm Di, un nu — nu estemirst Du mi
vör'n Draken un wünscht mi ut be Welt! O! o,
dit is min Dob!"""

Pieplings löpen be Thranen up be Jr', un
Susemihl wür ok ganz flimmerig vör be Ogen;
hei meinte nu sülwst, bat hei sik doch woll tau

wir tau väl Spott in Kunigunde ehr Ogen, dat Susemihl weinen deb, dat kunn sei nich mit anseihn, un swab! harr be Köster einen mang Näs un Kinn sitten, dat dat em gröu un gel vör Ogen würd; un swab! swab! kömen noch 'n poor vun linksch un rechtsch. Dat Gewitter slög in.

„„Wat? Wat? Du wist Thranen vergeten? Du wist mi wiesmaken mit Din Rohren, dat Du dat uprichtig berühst? Meinst Du, dat if Di so slicht kenn'n dau? Ne, ne, ne, ik kenn Di beter! Sied hüt Morn hew if Di ganz utwennig lihrt. Du verdreihte, kringelbeinige Kirl!"" Un dorbi würd Susemihl schübbelt as 'n Plumbohm in be Rieptied, dat em Hürn un Seihn vergüng un em be Thän klappern deb as bi brütig Grab Küll.

Kunigunde snabte frischen Athen, üm up't Frische lostauprusten un ehr slicht Hälft sin Sün'n vörtauholln. Da äwer leggte sik ne Hand mang be Geschichte.

Uns' beiden Ehlüd harrn ganz vergeten, dat

frie, apenbore Strat sik besün'n, un Dosche Möller, wat Susemihl sin Nahwer wir, harr vun sin Stubenfinstern mit anseihn, wo dit Unweder äwer Susemihl sinen Kopp tau hopen tröck, un harr bi sik sülwst seggt: „Man sall sik nich in Chlüd ehr Angelegenheiten mengeliren, äwer hier möt it doch twischen springn; wenn dit mihr Lüd un Jungs mit anseihn, dann hewt nahs jo be Görn gor kein Respect mihr vör ehren Schaulmeister, un be angahnden Husfrugens känt sik licht 'n slicht Exempel an sowat nehmen; min Olsch hett bor jo ok all wat vun lihrt, un beswegen is mi ben Köster sin Nahwerschaft gornich an't Hart wussen." Mit besse Gebanken wir hei rutgahn un leggte nu sin harre quesige Hand up Fru Susemihln ehr zorte Schuller un seggte: „Mi bücht, Fru Köstern, bat bat boch woll beter wir, wenn Sei Seiern Mann äwerhaupt so wat Jubring= liches tau seggen hewen, bat Sei benn mit em üuner Dack un Fack gahn baun, hier hett jo man be Welt, wenn't lang burt, wat tautauseihn un nahs wat tau slubern."

„„Wat? wat?"" bruste Kunigunde nu un= sern ihrlichen Dosche Möller an. „„Wat hewen Sei sik mang_uns' Saken tau steken? Seihn Sei

dreihte sik nu ok bass üm un wiefte sin breib
Achtersied. Da stünn nu dat oll lütt krätig Ding
alleen; de Wuth un de Jwer bröch ehr den Schum
vör'n Mund, un nu was kein Minsch da, an den
sei ehr Wuth utäuwen künn; dat harr nu na=
türlich webber taur Folg, as meistenbeils bi de
oll lütten krätigen Frugenslüd, wenn sei ehr Wuth
nich recht utäuwen känt, dat sei ehr snablangen
Thranen webber weinte un in einen Fuhrisa tau
Hus löp.

Wat dor nu noch gescheihn is, dat hett Keiner
so recht nich wies warden künnt; blos Bäl wüllt
an den Dag seihn hewen, wi de Köster mit 'n
sihr bedröwlich Gesicht rümmer wannelt is un
sik benn un wenn mit de verkihrt Hand vun
babendahl lang dat Rügggrat streken un dat sin
Rock so verschiedene Stoffstriepen uptauwiesen
habb hett. .

Dat is en wohren Jammer, wenn de Mann
so'n Fru un de Fru so'n Mann hett; kein wohre

denn äwer jeden Schritt vun ehren Mann waken
tau möten, un seiht in ehren Iwer jeden Schritt
vör'n Fehltritt an; wiel sei mit ehren Frugens=
verstand kein Mannswirken begriepen kauu, un
sei is ümmer untaufreden baräwer, ümmer gräm=
lich, un Untaufredenheit un Grämlichkeit verbittern
dat Leben.

Währendem nu, dat Jochen Pott so jämmer=
lich afspiest worden was bi de Kohlhaasen; wäh=
rendem, dat bi de Blisaaten ne Upröhrigkeit bördj
Jobst sin Nahricht enstahn was un währendem
dat Gewitter Köster Susemihl so äwern Kopp
swewt, un Dunner un Blitz un Regen em üm
be Uhren sust harr, währendem satten twei Har=
ten achtern Spanschfleberheck bi Unkel Bliesaat
sin Schün un lachten un rohrten un küßten bor
ümmer ein gegen ben annnern an, dat 'n anner
ihrlich Minsch, be dat harr mäglicherwies mit an=
seihn mußt, ganz slimm borbi warben orer en
dat Hart harr apen gahn künnt, wat benn ok
unsern Unkel Jobst passiren beb. De Beiben,
be bor bit Manöwer möken, wiren uns' lütt, tru
Haune un ehr leiw, best Krischan. Ach wo was

brücken? Je, 't was nir Gewöhnlich's. Krischan
harr Orer kregen, sik tau stelln, hei süll Suldat
warden un müß nu weg nah Swerin, un lütt
Hanne müß vorblieben un sik unnerdessen, wenn
dat Mudding vör gaud besünn, mit'u Aunern
trugen laten; un wenn Krischan denn webber
köm, denn wir jo woll lütt Hanne ut Gram un
Kummer tau Dod storwen. Ja, un dat is ok
nir Lütts!

Bi desse Urt, sik einanner dat Hart tau ver-
weiken, harren uns' Beiden nu all ball twei
Stün'n vor achter de Spanschfleberheck seten.
Wat kümmern sik twei Leiwste dorüm, wo de
Stun'n blieben un woans de Sünn treckt, ob sei
bargup orer bargdahl geiht? Sei vergeten ok
gänz, wat Hanne's Mudder seggn würd, wenn

wenn Mubbing ok wat akrat wir, Hanne harr
doch be mihrst Friheit up'n ganzen Hof, un sei
plagte sik leiwer 'n ganzen Dag, as dat ehr
Kind en Stün'n sik quälen süll. Krischan harr
ja ok Tied; be harr sinen Deinst bi Schultens
doch upgeben müßt, da hei morgen weg müß;
hüt harr em Keiner tau befehlen un beswegen
güng dat Drücken un Küssen ok ümmer webber
vun Frischen los, bet endlich lütt Hanne dat
Wurt nöhm un seggte, wobi ehr de Thranen
ümmer pieplings äwer de Backen löpen: „Nich
wohr, Krischan, schrieben deist Du mi doch gliek
in be irsten Daag, wo Di dat vor gahn beit?
un wat Du ok hungern müßt, denn warr ik
woll Anstalt maken känen, dat ik Di wat nah=
schicken dau. Nich, min oll Jung, Du schriwst
ok oft?"

„„Ja,"" flemmte Krischan, „„wenu ik man
schriewen künn; wat mi be Köster lihrt hett
vun't Schriewen, dat hew ik leider Gotts all all=
webber vergeten.""

„„Ach Gott, denn kannst Du jowoll dob
gahn un kannst mi dat denn nichmal schriewen?
un ik möt rein ümkamen vör Sorg und Angst."

utsüßt; süh, ik warr tauseihn, bat ik mi mit mineu Untroffzier up'n gauben Faut stelln bau, un benn schriwt be vör mi; Du schickst em benn bor mal bi Gelegenheit 'n Wußt orer 'n Stück Schinken vör, benn gliekt sik bat webber ut."'"

„Ja, Krischan, bat will ik jowoll Alles girn baun, wenn ik man weit, wo bat mit Di steiht in be Welt."

„„Dat Di be Hahn hackt!"'" brummte lies up be anner Sieb vun be Heck Einer in'n Burt, un sachten bükerte sik bor wat nebber, wat äwer vun uns beiden Bebröwten nich bemarkt würb.

Hanne was nu'n Stein los vun'n Harten, nu bat sei wüß, bat sei boch später wat weiten süll vun ehren Krischan un woans em bat gahn beb. Äwer vun bat Rünnerfalln vun ben Stein harr en tweiter sik löst un be brückte nu up't Frisch an't Hart. Dat was be Twiwel an Krischan sin Leiw. Wenn sei em ok noch so leiw harr un ehr be ganze Welt in sin Hart lagg; so güng ehr bat boch so as't ein jedes Mäten gahn beit, be Jwersük grient 'r ümmer börch. Hanne was bang, bat Krischan in be grote Stadt licht 'n anner Mäten tau seihn kriegen kuun, be em ins webber kömst, 'n Vergißmeinichs plücken känen."

„„„Hanne!"‟‟ seggte Krischan un kek as 'n Hiligenbild vun unn'n up, äwer mit'u würklich truges Hart. „„„Hanne, glöwst Du, dat ik man so wenig vun Di holln dau, dat ik in de Stadt 'n Annre mihr lieben mägen künn? Hanne, Du weist gewiß, ik hew bi leiw as nix Lütts; äwer wenn Du so'n Gedanken hegen deist, süh so denn möt ik annehmen, dat Du mi doch nich so ganz leiw heft, as Du ümmer seggen deist; denn süh, wenn man Einen recht leiw hewn deit, wat Susemihl oft nang seggt hett in de Schaul, denn hett hei ok en fastes Vertrugen tau em un kein Twiwel in'n Harten; wer äwer Twiwel in'n Harten hett, be hett den Annern nich leiw."‟‟

„Krischan!" weimerte Hanne nu webber, „Du büst jo min Alles, ik hew dat jo ok man

Sinn warben beb, obgliek hei jo ümmer nix vun Leiwsgeschichten weiten wull. Dit Poor, da vör em, bat jammerte em nu doch; hei seihg börch be Telgens wo väl Ein vun'n Annern holln beb, un füng an tau marken, bat bat boch schön sin müß, wenn Einer en Hart sun'n harr, wat so vull un so tru vör em slög; un as Haune nu webber anfüng tau jammern, bat ehr Mub= bing ba so sihr gegen wir, un sei abslutemang starwen müß, wenn sei süll bwungen warben einen Aunern tau friegen, ba föhlte Jobst sülwst in sin oll steinpöttig Hart, wi weih, wi weih bef' Gebank be Beiben bor baun müß; sin beiden griesen Wimpern glänzten ok in'n Sünnschien un hei glöwte nich anners, as bat be leiw Gott em bor achtern. Busch hensett harr, üm bit Glück un beffe Pien mit antauseihn, damit em bat Hart apen gahn süll, nn hei be Beschützer vun bef' Leiw warben müß.

"God dam!" brummelte hei bör sik, "bat

is schreckhaft as 'n Haas in'n Kohl.

„Na," seggte Jobst, un wischte sik mit 'n Rockärmel de letzte Fuchtigkeit ut be Ogen; „lat Jug man nich stüren, bat bün ik un will Jug nich verrahben, benn ik hew bat mit anseihn müßt, wo leiw bat Ji Jug einanner hewt, un bat is mi in be Glieber trocken. Äwer Kinnings, Ji möt mi nich as 'n Lurer estemirn; ne, bat is taufällig kamen; ik bün tau olb, üm mi noch mit so'n Nieglichkeit rümtausläpen, bat ik up anner Lüd ehr Geheimnisse Jagb maken bau. — Ik weit nu Alles, wo bat mit Jug stahn beit, seggt mi nix mihr, ik will nu borbi min Mäg= lichst bann, bat Ji Jug kriegen baut: obgliek, wi Ji woll weitet, bat ik 'n starken Fienb bün vun jebwereine Frigeratschon, un jebwereinen ihrlichen Minschen afrahben bau, wenn ik em up so'n Weg brap. Ji hewt mi burt; Du oll lütt Haune" — hier strakelte hei ehr äwer be Backen — „Du büst bat wahraftigen Gott wirth, bat Di 'n ihrlichen Kirl friegen beit. God dam,

dragen, un de Minsch, de em briggt, de ward
dor nich dümmer dun; den weiht mal 'n anuern
Wind üm de Näs, un min Ansicht nah is dat
gor kein richtig Kirl, de nich mal 'n Scheit=
prügel uppe Schullern dragen hett. Also gah
ruhig hen, ik will äwer Din Haune waken as 'n
Kluckhauhn äwer ehr Küken; un denn wat ik
jichtens dorbi daun kann, dat will ik daun. —
Äwer, dat Di de Hahn hackt! Krischan, ver=
get mi de Haune nich in de Fröm; ik weit, wo
licht dat angahn deit. Verget mi s' nich, segg
ik Di, sünst brukst Du Di man nich wedder
seihn tau laten in Warsow. Hürst Du?"

„„Jobst, min Hand!"" seggte Krischan un
rekte sei em hen; „„ik büu 'n Schuft, wenn 'k
man 'n annern Mäten dun de Half ankieken
dau!""

„Na, so extremlich nehmt wi dat nu nich,
süs wull ik gliek tau Di seggen: Na Adjüs,
Schuft!"

Nu würd Jobst denn bet rantrocken, un dat
Strakeln un Küssen güng ok äwer sin Gesicht

„Kinnings, holl stopp, „Ji brekt mi jo mineu Kalkstummel intwei, un denn treck ik min Wurt webber taurügg. God dam, lat 't man gaub wesen." Hei was ganz ut be Puhs as s' em endlich losleten. As hei gahn wull, fähb hei noch: „Na, Krischan, wenn wi uns vör Din Afrutsch nich mihr seihn sülln, denn will ik Di hiermit Abjüs seggen. Min Jung, un holl Di ok brav un tapser; Sulbatenleben, segg ik Di, dat is ein Leben, dor kümmt nix nich gegen an! Wenn s' mi man nich dit Bein so schampfirt harru, Krischan, dat swör ik Di! denn bräg ik mi noch mit'u Kauhfaut in be Welt rümmer. 't geiht nix äwer dat Sulbatenleben!" un Jobst sin Ogen lüchten as 'n Verklärten. „Kinnings, as ik noch so in be Johren was — Jes, Jes, wat was dor be Welt vör mi! Wenn Blücherten seggte: Vörwats, Kinners! wo kloppte denn dat Hart nuner den Kittel, wo flögen denn be Bein! un as bi Waterlow — ja, ik seih, dat is vör Jug langwielig, dat mägt Ji nich hüren, äwer wer in be Tied lewt hett, be kriggt anner Gedauken borbi, wenn man borvun vertellt."

dat kein Minsch beter tauhürt as wi Beiden, Hanne un ik."" Dat Aihn un Straken güng nochmal an, dat Jobst webber üm sinen Kalk= stummel angst un bang würd un säh:

„Nu gah mit Gott!" Snubs dreihte hei sik üm un hümpelte davun; as hei 'n En' lang weg wir, blew hei mit enmal stahn, slög sik dreimal mit de Fust vör'n Kopp un brummelte in sik:

„Wat hew ik dahn? Dat Volk hett mi jo woll rein den Kopp verdreiht? God dam, dat is gegen min Princip, dat ik de Frigeratschonen begünstigen dau, un ik mak so'n Streich? Dat Rackertüg! Ik harr Krischan jo tauu Vernünftigen rahden müßt. Na, nu is't tau spät; ik hew eumal min Wurt geben, un 'n Kamel, wer sin Wurt nich höllt." In sik argerlich hümpelte hei wieder.

Den beiden Verleiwten was 'n Sünnstrahl in't Hart folln, un be Sünnstrahl gaw frischen Maud; vör hüt wir dat Weinen un Jammern tau En'n; sei wüssen, wat Jobst verspreken beb, dat hei bat höll, un sei wiren jung genang, üm. den gauden Willn all glieks vör de Dath antau= nehmen, un drömten sik all rin in de Taukunft, wo schön bat warden süll; wo sei Hanne ehr Öllern un ben olln Jobst plegen wulln, wenn sei beid irst ben Bliesaatschen Hof regirten. Da Hanne bat einzigst Kind un Hinnik 'n arm Düwel was, so würd jo ganz natürlich be Hof up Hanne schreben un Krischan müß em ver= walten; be Olln künn'n sik benn jo up't Ollndeil setten, benn be harrn jo nu all lang nang ehr Schülligkeit bahn in be Welt; harrn sik lang nang plackt un quält, bat sei nu ok mal utrauhn künn'n.

Ach, bat fünd so köstliche, herrliche Ogenblicke, wenn man jung is un malt sik benn sin Tau= kunft so bunt un schön mit allerlei Biller ut. Dat Hart wart grot, bat Hart geiht apen; be

Fricke, Wat möt, bat möt.   7

Engels stiegen vun'n Himmel in't apne Hart
herinner, un denn webber tau Höchten un be
Jr' vergeiht nuner unsern Fäuten. Man föhlt
sik in be Unenblichkeit furtbragen un sitt mint=
wegen in en ganz unbekanntes Land up en
Balkon vun en Sloß orer up süs wat un süht
in enen schönen ewigen Mai; be Blaumen bläuhn,
be Vagels singen, un in bat Sloß strahlt Alles
vun Gold un Riekbohm, un denn pebb't Einer
einen minswegen unverwohrens up be Fäut, bat
beit weih, wenn man Liekbürn hett, un — bums
föllt man ut all sin Himmeln vun'n Balkon un
vun't Sloß un steiht bor mit ümgekrempelte
Taschen un 'n lebbiges Potjemoneh. So is't
gewöhnlich: wer am allerwenigsten hett, be brömt
sik am allerriekften; worüm ok nich, man kann't
jo hewu, un üm so'n Beten lohnt't sik jo gar
be Mäuh nich, irst antaufangen.

Unf' Beiden pebbte hüt morn Keiner up be
Fäut; sei brömten lang un ungestürt, un wöll=
terten sik in ehr Glück rümmer, wobi be Küß
man ümmer so börch be Luft knallten. Langsam
römen sei webber taurügg up beffe Jr'; da äwer
güng bat webber an't Lammertiren, denn vör
hüt müßten sei sik trennen.

„Un nu man noch enmal!" seggte Hanne,

webber, an't En' vun't Dörp, sei mit be
Schörtenslipp vör be Ogen un hei mit ben lütten
Berliner nuner ben Arm un 'n witten Stock in
be Hand. Hin'n ut be Rocktasch keken ganz
verwegen be beiden En'n vun en poor bägbige
Mettwüst, be em Hanne noch tausteken harr.
Hanne wir süs 'n ganz frames Mäten un bed
kein Unrecht, äwer vör ehrn Leiwsten höll sei
Stehlen vör kein Sün'n un harr ehr Mubbing
bes beiden Verwegenen achter in Krischan sinen
Rock ut'n Rook is't.

„Krischan," weimerte Hanne, „wenn 't boch
man mitgahn künn, wenn 't Di ok nich spräken
süll, wenn 't Di man blos mal mankeböhr seihg;
seihn müg ik Di gor tau girn, un wenn ok
man alle Daag enmal. — Krischan, wo wiet is
bat benn egentlich vun hier?"

„„„Oh,""" seggte Krischan, „„„Hanne, bat
kanu 't Di nich seggn; so väl is gewiß, in einen
Dag hal ik bat Stück nich.""""

„Ach Herr Jes! wenn Di benn man nix
äwerkümmt unnerwegs? Wo wist Du benn be
7*

vör Angst üm Di utstahn!"

„"Hanne, wat Du nu man rebst. — Süh, ik bün jo doch 'n grot Minsch un nehm dat driest mit twei Kirls up; wat sall mi woll äwerkamen? Un denn wer nix hett, den nimmt Keiner wat!""

„So, be Wüst hest Du doch?"

— „"Ja, be Wüst, dat wir dat Enzigst wat man mi afnehmen un wat anner Lüd tau Nutzen kamen kann, wieder äwer ok nix; dat Hemb un de poor Söcken, de ik in mineu Berliner hew, be känt doch keinen Minschen mihr glücklich maken.""

„Ja, äwer segg mi blos, wo wist Du be Nacht äwer blieben? Du kannst doch nich nuner frien, apenboren Himmel slapen?"

„"Och ne, Hanne, süh dat giwt jowoll noch gaube Minschen in be Welt? Wenn s' mi nich in'n Wirthshus upnehmen willn, denn slap ik up Stroh in'n Schün, wat ik jo all männig Nacht dahu hew; daräwer wes man ganz ruhig.""

„'t is doch schrecklich vör mi, wenn ik hüt Abend tau Bedd gahu dau un ik möt denn deuken, dat Du bi wildfrömm Minschen up

un halte 'n lütten gestrichten Bübel taum Vör=
schin, ben sei Krischan in be Hanb brückte, unb
ben be in be Büxentasch glieben let unb seggte:

„„Hanne, wat büst Du boch vör'u köstlich
Mäten! wenn 't bat man blos mal webber an
Di gaubmaken künn."''

„Ach lat man, bat kümmt später; un it wull
jo girn mihr baun, wenn Du man blos nich
weg müßt."

„„Ja, Hanne, bat is ok nix Lütts, vun Di
tau gahn; it war bat Sulbatenkram gornich
in'n Kopp rinkriegen, blos wiel it ümmer an
Di benken möt."''

„Ach, Herr Jes! baun sparrt sei Di jo woll
gor in't Lock? Ne, Krischan, benn benk man
leiwer 'n beten weniger an mi un mark Di bat
Sulbatenkram örbentlich, bat sei Di man nich
insparrn baun. Hürst Du, Krischan?"

„Ja, wo kann 't benn woll weniger an Di

„„Hanne, wat sik nich ännern let, dor let sik nix bi daun; süh, ick blew jo ok girn hier. — Lew woll!"""

„Ach Götting!" Un nu süng be oll lütt arm Hanne webber bitterlich an tau rohren, bat bat harr 'n Stein weik maken künnt. 't is ok 'n sworen, heil sworen Ogenblick, wenn Twei so taum letzten Mal bi enanner staht un bat Lew= woll sall äwer be Lippen räwer. O! bat treckt einem bat Hart tausamen as wie 'n Snürbübel, un ritt einem be Seel ut 't Liw rute. Äwer wenn't Leiden üm't Scheiden nich wir, denn wiren ok nich be Freuden üm't Webberseihn, un be sünd söt, so söt wi Zuckerkann.

Licht un Schatten möt sin, hett uns' Herr Gott bacht, as hei Allns hett so schön`makt, wat wi nun anstarrt un nich spitz kriegen känt, wo't enmal mäglich is, bat Allns so schön sin kann,

warb ein Brebb vörschaben, wo wi nich börch=
kiefen känt, un wenn wi ok busend Brilln un
Näfenklemmers vör be Ogen holt. — Licht un
Schatten möt sin, sus warb be Minschen bat
tau enbönig, hett uns' Herr Gott bacht, un hett
barup grüwelt, wat hei vör allerlei Schatten
maken süll, un so hett hei tau be lebbigen Gelb=
bübels, wat ok 'n sihr swarten Schatten is, bat
Scheiben erfun'n. Un wo kein Minsch noch nich
be Weihbaag vun't Scheiben empfun'n hett, be
hett ok noch all min Daag keinen Minschen recht
leiw hatt, denn börch be Trennung föhlt man
irst recht, wo sihr Einer. ben Annern an't Hart
wussen is, un man sangt ar. tau begriepen, wo
gräsig leiw man ben Annern hett, un set sik 'n
Thön afbieten bavör, wenn hei em man en
enzigstmal seihn kann. Ja, äwer wat nich geiht,
bat geiht nich!

Schört un Taschenbäuk wiren taum Utwringen
natt, as enblich, enblich Krischan sik losret vun
Hanne, nahbem hei ehr noch 'n langen bägbigen
Kuß upbrückt harr, un mit en Hart, as wenn
bor 'n Dusendpunbstück an hängu beb, irnstlich
afföckte.

„Dor geiht 'e henn!" seggte Hanne mit 'n Gesicht as börchrewen Appelmoos. „Dor geiht 'e henn in be wiebe Welt herinner. Adjüs! Adjüs!"

Krischan kihrte sik nochmal üm un swenkte mit be Mütz un röp taum letzten Mal: „„Adjüs Hanne!"" De Wind brög ben Schall man noch eben an Hanne ehr Uhr, be mit 'n Dauk weihte un ok nochmal mit 'n gebraken Stimm „Adjüs Krischan!" röp.

„„De Afschied warb Di woll heil swor? Hahaha!"" kicherte 'n Stimm achter uns' Hanne, be sik verfihrt umbreihte, un be oll lütt Tanten Lischen in ehr schabenfroh Gesicht sahg.

Hanne föhlte ben Spott beip in't Hart; sei wüß äwer, bat bat man purer Neib wir bun be oll lütt Jumpfer, biweil sei äwrig bleben wir, un nu ok man noch 'n Gesicht harr, wo sik Einer nich mal mihr breiachtel in verleiwen künn.

„„Na nu warb be nixnützige Leiwschaft jowoll 'n En'n kriegen?" krischte bat oll lütt Ding.

Hanne, bat unschüllige Kinb, bat mit en rein Hart leiwte, so rein as 'n niege Salwjett, be noch nich brukt is, be künn besse Würt nich verbragen; sei wenbte sik af, ahn wat tau antwurten, äwer weinte ehr heiten Thranen.

wohen; sei dach, un wüß nicht wat; dat Hart
wull breken, un kunn nich. Ach! so was ehr
noch nie tau Maud wesen; de Welt köm ehr so
lerrig vör, wi 'n grote wiede Tüu'n, wo sei in
henaffeigh; sei künn den Born nich seihn, Allns
wir swart, Allns gruglich un öd; narres nich
kein Schimmer vun an beten Licht; de Hoffnung
schien ehr ut de Welt verjagt.

Bi Tanten Lischen äwer wir't hell, de seigh
mihr as anner Lüd; ehr lütten robunnerlopnen
Ogen lüchten as 'n poor Marinwörmken, un
halwlub snackend, mit be Hän'n bekelmirend, as
Köster Susemihl, güng sei snurstracks nach Un-
kel Bliesaat's Hof, un vertellte nu dor, mit ver-
schieden Tausätz, wat sei soeben erlewt harr,
wat sei seihn un wo't mäglich wir, dat so'n
vun butwennig so'n fram un unschüllig Kind
so wesen künn und sik so mit so'n pauwern
Knecht küssen un äwer em rohren künn, üm so'n
Knecht! blos 'n Knecht! Wo hägte dat oll
lütt Krät sik, as sei seihg, dat dat Hanne ehr
Mudder ok kriwwelte; dat ehr bat sihr unan-

Ding gor nich recht was. De Trost wir de: dat nu de nakte Bengel ut't Dörp köm, un vielicht up lange Tieb; in de Tieb künn hei sik annerswo jo licht 'n anner Mäten upgabeln, denn sei wüß, dat junge Burschen girn de Verännerung lieben mägt, un sik den Döster daran kehren, ob sik tau Hus en arm Mäten tau Dod weint un quält; hei künn wat Anners sin'n, un denn würd Hanne sik dor ok woll brin saten, so slimm wir't denn doch nich mit'u Dodquälen. Wenn en Hart ok bet up't Üterste quält ward, breken, intwei breken deit dat doch nich; 'n lütten Riß mag't woll kriegen, äwer de helt mit de Tieb wedder tau un is tauletz gornich mihr tau seihu. ·

As Hanne denn nah langn Ümherirrn endlich an't Hus anlangte un noch ganz verbaaft un verbiestert utseihg, kunn Mudding denn ok dörchut nich schelln, sei seggte blos: „Hanne,

Bestes noch nich intauseihn; äwer ik, as öller=
haftige un vernünftige Fru, ik seih in, wat vör
Di gaud is; ik will Di verfriegen, dat dat all
Din Lewdaag Di gaud geiht; Du müßt nah
mi hüren, un müßt daun, wat ik Di anschün'n
bau. Süh, Jochen Pott, dat is 'n still'n ihr=
lichen Minschen, 'n betern kriggst Du Din Lebe
nich —"

„„Mudder!"" unnerbröck Hanne; „„„lat
mi doch mit Jochen Pott taufreben; de will
mi jo gornich; be hett dat jo all lang up
Jetten afseihn, dat müßt Du doch woll markt
hewn!""

„Woll hew ik dat markt, un weit ok noch
mihr; äwer be Minsch is 'n Schapsk—" Mud=
bing verbeterte sik: „be Minsch, wull ik seggn,
is noch tau jung, hei weit ok noch nich sin Bestes
intauseihn; äwer ik wak ok äwer em un seih
vör em in. Ji paßt vör enanner; Ji warb noch
mal 'n heil glücklich Poor afgeben, woran wi
Öllern uns' Freud hewen."

„„Jochen is gar tau bränbatt'lich,"" seggte
Hanne, indem sik ehr oll lütt Kinn ganz krus
trecken beb un gliek borup en poor Thranen in

be trugen blagen Ogen ftrahlten as en poor Daubruppen up twei Bergißmeinnichts.

„Ach wat, dränbattlich hier, dränbattlich dor! mak mi nu nich irſt falſch, Hanne! Du, wi ge= ſeggt, ſühſt dat noch nich in; ſpäter warſt Du mi woll noch mal bauken, dat ik ſo gaub vör Di ſorgt hew."

Hanne weinte. Tante Liſchen harr be Tied äwer bor ſtahn un harr bald 'n gräſig grimmi= gen Blick up Hanne, bald einen up Tauten Lena ſmeten; dat harr ſei noch nich wüßt, dat be Jochen Pott taum Swiegerſähn utſeihn harr; dat wir ehr heil un beil wat Riegs unb ſette ehr ſo ſihr in Uprührung, dat ſei binah de Sprak verliren beb un äwer un bäwer blag anlöp. Jochen Pott, barup ſmet ſei ehrn letzten Hoff= nungsanker, ben ſei in ehr jumpferliches Hart hewen beb. Jochen Pott, meinte ſei, wir be Einzigſt, be, wenn ſik man irgenb Einer bortau verſtünn ſei tau friegen, be't baun beb. Jochen Pott was bumm un liggt tau berahben; ſei harr all verſchiedene Mal ehr Angel utſmeten, wat äwer leiber noch ümmer nich bun em bemarkt worben wir; nu köm bit bor noch batwiſchen! Nu wir't hoch Tied, bat Jochen bat bemarken beb; nu müß ſei grötere Angels utſmieten, be

süs wat tau seggn, löp Tanten Lischen ut de
Döns un ut't Hus snurstracks nah Jochen Pott
sin Kath. Jes, wat kunn dat oll lütt Ding de
Bein smieten; wo schechte sei, as wenn't achter
ehr brennen ded. Un dat brennte jo ok, doch
nich in ehrn Harten, denn ut würkliche Leiw
friegte sei nich mihr; sei friegte blos ut Ihr-
gietz, dat dat doch nich mihr heiten künn: Süh, de
is äwerbleben, orer, de is ok as 'n oll Jumpfer
tau Dod storwen. Dat brennte in ehren Kopp;
be Tied brennte un set ehr up de Hacken.

Bi Jochen Pott seigh dat trostlos ut; de
arm Mesch harr siet gistern Morn kein Rauh
und kein Rast hatt, de Welt dreihte sich noch
ümmer as 'n Brummküsel üm em rümmer; hei
wir noch nichmal tau Bedd wesen; dor löp hei
noch in sin sünndaagsch Kledasch, dat Blaumen-
buschket noch vör'n Bussen, wat all hellsch de
Uhren hängn let, in de Stuw up un dahl un
let ok de Uhren hängn. Hei harr ümmer in eins
bekelmirt un Reden holln; so dat em de Tung
ganz brög un Arm un Bein ganz lahm worden
wiren, strots bem höll em dat nich up'n Stauhl
orer in't Bedd; hei bekelmirte noch ümmer sach-
ten in sik: „Wat be woll meinen? Wat be woll

sünd? Ik bün ok 'n Minsch, un bün 'n ihr=
lichen Minsch; wenn min Kath sik ok nich mit
ehrn Hof mäten kann, wat schadt denn dat?
Jetten is jo be enzigst Dochter, un be Hof blimt
jo ehr? Äwer't sünd slichte Minschen, ganz
slichte Minschen! Ik wull, bat sei alltausam up'n
Blocksbarg seiten, benn harr'n s' bor boch 'n
Utsicht bortan! Ja, gaht taum Döster! ik föhl,
ik krieg dat mit be Wuth. Ho! ik belach Jug!
Ik wull blos, be Tied köm mal, bat Ji wat in
min Hus tau söken harru; Gott Stralar! benn
nehm ik Jug bi'n Kanthaken un smit Jug all=
tausam ut be Döhr herut, bat Ji Jur Knaken
in'n Taschenbauk nah Hus brägen känt!" Un
bauts flög Tanten Lischen in'n Swibbagen ut
be Döhr rut baben up'n Meßbarg, be bör't Hus
lag, un satt nu bor, as wenn sei be Göttin
Diana orer süs wer wir, be bor up ben lütten
Berg ehr Standbild harr.

Tanten Lischen was snurstracks up Jochen
Pott sin Kath losstüert un, wiel be Döhren all
apen stün'n, ok glieks rin. Jochen, be bi be
letzten Würt webber lud worden wir un Arm
un Bein ok webber in Bewegung sett harr, seihg
un hürte in sinen Iwer nix; hei wir ganz ver=
biestert in sin Dekelmatschon un so, ahn bat hei

purer Verbiesterung.

Nu, as Tanten Lischen natürlich up den Berg 'n heilos Krischen anfüng, köm Jochen ok webber taur Besinung unb seigh in, wat hei anstift harr.

„Je Lischen," seggte hei, „wat mußt Du mi ok grab so in'n Weg lopen! Nimm mi't man nich krumm; ik mein bat wohraftig nich so bös mit Di; Du kannst tau all un jeber Tied min Hus bepebben, ik war Di in bösen Willn nie ruthanbtiren, ik mein man be Annern!"

Tanten Lischen was ok nich im geringsten güt gegen Jochen äwelnehmsch, obschons sei boch ganz blag anlopen wir in ben irsten Momang; sei grawwelte sik, possirlich nang vör anner Lüb, bun ehr Postament runner un reckte Jochen be Hand hen, indem sei seggte:

„„Jochen, ik nehm Di nix nich äwel, hürst Du, min Jung? nix nich! Ik mein bat all min Daag blos gaub mit Di; wo künn ik Di woll wat äwel nehmen.""

Jochen hürte man verbeuwelt wenig bun bat, wat Lischen em seggte; sin Ogen keken wiet äwer bat lütt Ding weg, unb sin Gebanken wiren all webber bi be Kohlhaasen, un halwlub sähb hei

vör sik, as Lischen recht fründlich naß em rup
kieken deh:

„De Falschheit kikt ehr ut be Ogen!"

„„Wat? Wat?"" begehrte nu Lischen up;
„„Jochen, wat is bat?""

„Je, ik mein Di jo nich, ik mein jo be
Annern!"

„„Jes, wat is benn bat? wat hest Du benn
emal vör?""

„O, nix Grots."

„„Jes, un wo sühst Du benn egentlich ut?
Wat sall bat Bläumenbuschket un be sünnbaagsch
Klebasch?""

„O, nix Grots."

„„Dat süht jo grab so ut, as wenn hei up
Friegeratschen geiht,"" sähd Tanten bi sik, sei
wüß noch bun Jochen sinen giftrigen Gang nix.
„„Jochen, sett Di,"" seggte sei nu lud un tröck
em up'n Stauhl bahl, indem sei enen annern
bicht bi ranschuben beb, worup sei sik sülwst
sette. „„Sett Di, min Schatz; Du schienst wat
Slichtes gewohr worden tau sin, vertrug mi bat
an; sühst Du, ik hew en Hart, wat mit Din
föhlt un vör Di sleiht!""

De Angel was recht grot un künn woll nich
gaub unbemarkt blieben, äwer bi Jochen was

hüt dickes mulsteriges Water; em schien dat ganz
natürlich, dat ehr Hart vör em slagen müß, sei
wiren jo wietlöftige Verwandte; deswegen ant=
wurte hei ok man so hen:

„Ach, lat man gaud sin.“

Ne, jonich, Lischen let dat nich so gaud sin;
sei sate wedder nah:

„„Jochen, wenn de Minschen slicht gegen
Di hannelt hewu — Jochen, süh, denn bün ik
Di doch ümmer tru; ik will Di trösten un all
wedder gaud maken an Di. Segg, wat is Di
passirt; wo büst Du henwesen?““

Nah langen Fragen, denn Lischen was hellsch
nieglich darup, geftünn Jochen denn endlich, wo
hei gistern hen wesen, wat man em seggt un
äwerhaupt, wo em dat gahn wir.

Lischen was bi bes' Vertellung bald blag un
bald wedder witt anlopen, ehr tröck nu ok noch
vun Jochen sin Sied 'n Bäu up, wat sei gornich
vermauden west wir. Wenn sei bi de Koffegesell=
schaft nich vör Inter Angst achter'n Aben krapen
wir, denn harr sei ganz natürlich marken müßt,
wat bi Jochen de Klock slahn harr, un denn köm
ehr dat nu nich äwerrascht. Awer Lischen verlür
den Maud nich un up't Frisch smet sei ehr
Angel in't Water:

„„Jochen, süh, wo künnst Du nu ok woll sowat denken? De Lüd sünd jo väl tau dicknäsig un wüllt väl tau hoch rut, as dat sei ehr Dochter mit Di verfrieen daun; un denn ok, süh, wat sühst Du Di nah ene Annere üm, de gornich vör Di paßt, wenn Di en truges Hart de Hand henhöllt?"""

„Wat?" seggte Jochen un kek sik kort üm, „hett Hanne dat vielicht up mi affeihn?"

Lischen würd heil un deil blag; Hanne was jo ehr Fiendin, orer doch binah, un Jochen verföll tauirst up de un nich up ehr, da sei em dat doch so handgrieplich mök? Wenn sei man sülwst wüst harr, wo slicht ehr ehre Lüttigkeit kleben deb, denn säh sei gornix, äwer ehr güng dat ok so as all de Minschen; wer noch so häslich is, gesteiht sik dat doch sülwst nich enmal ganz in.

„„Ach, Hanne,""" seggte sei, „„„Hanne, denkt gornich an Di, de hett dat up ganz wen anners affeihn un nimmt Di in ehru Leben nich, äwer —""" Lischen blew behaken, 't wull nich so recht rut. „„„Äwer süh —"""

„Wat süh?" frög Jochen, de all wedder mit sin Gedanken bi de Kohlhaasen wir.

„„„Süh, ik mein dat tru mit Di!"""

„Ja, lat man gaud sin, ik glow dat jo." —

Tanten Lischen. In Jochen güng wat ganz Be-
sonners vör, sin Ogen lüchten un sin Gesicht
würd frünblicher utseihn; mit'n Mal sprüng hei
in'n En'n un seggte äwerlub:

„Un sei möt doch min warden! Jetten hett
kein Schuld; de Olln möt rümkregen warden."

„„Herrjes!"" Bi Tanten Lischen brök de
Sweit in groten Druppen ut; „„„ne, so'n Minsch
äwer ok!"" säh sei in sik, trök Jochen webber dun
achtern up'n Stauhl dahl un slög ehren Arm üm
sinen Nacken, wobei sei up be Thön stahn müß.

„„„Jochen,"" seggte sei, „„„Jochen, Du ver-
steihst mi hüt gornich.""

„Ne," seggte Jochen gedankenlos un söch sik
bun den Arm lostaumaken.

„„„Jochen, äwer Du mußt mi verstahn; süh,
ik bün irst sösundörtig Johr old —"" sei kek
verschämten vör sik dahl, wat ehr ok noch so
tämlich gelüng, wiel man blos ben Schetel up'n
Kopp seihg un te boch man in'n höchsten Noth-
fall roth warden deit; sei bach bi bit Ver-
schämtbaun: Nothlägen sünd nich verbaden. —
„„„Süh,"" fohrte sei lud wieder, „„„un kann
laken un braben, wat Du man verlangst, un so
sihr unansehnlich bün ik boch ok nich. — Süh,
                                                    8*

da Du nu so allein in de Welt steihst, un if of, süß, de Kohlhaasen wüllt doch nix vun Di weiten — wi beiden würden uns ganz gaud verdrägen."'"

Nu güng allmählich 'n Thrankrüsel in unsern Jochen up.

„Wat? Wo?" seggte hei un stünn webber up vun'n Stauhl; „Wat meinst Du, Lischen?"

„„If hew Di min Meinung nu seggt. — Du brukst Di nich mit mi tau schamen —""

Jochen blew de Verstand stahn; hier müß hei sik würklich kein Melodi up tau maken.

„„Segg?"'" fróg Lischen nu briester, „„„segg, wat meinst Du bortau?""

Jochen stünn un glupte mit sin waterigen Ogen up Tanten Lischen, as wenn be Kreiß wat Blanks liggn süht, un endlich köm ut em rut: „Wat sall'n bor Grots tau seggn!"

„„Du büst also bormit inverstahn, min Schatz?""

Nu stegen Jochen be Hoor tau Barg. Irst be Geschicht mit be Kohlhaasen un nu mit Tanten Lischen, wenn't so bi blieben beb, benn müß hei noch nothwennig verrückt warben, bat güng gornich anners. Em was ok ungefähr so tau Maub, as Hanne bessen Morn, ok hei seihg

in'n grot Tüun, wo nix in tau seihn wir, as
Allns gruglich swart.

Lischen wull grab webber up em losfohren,
als tau sinen Glücken be Döhr apen güng un
Jobst sin koppern Näs börch be Spalt glänzte.
Wenn den Minschen bat Unglück äwer'n Kopp
tauhopklappen will, bann grippt gewöhnlich uns'
Herr Gott tau rechter Tied bortwischen.

„Dat Di be Hahn hackt! Jochen, Du steihst
jowoll noch in be sülwig Uniform bun gistern;
orer geihst Du Racker all webber up frischen
Wegen? Un, Döwel! wo sühst Du verhäsbäst
ut, as wenn be Wulf mit all Din Schaap bavun=
lopen is. Hahaha! Du büst 'n Narr un wieder
gornix; habbst Du gistern Morn minen Rath
befolgt, un wirst nich up so'n Wegen gahn,
benn wirst Du hüt anners Sinns. Na, bat
schab't nich, Du hest boch nu ok be Welt 'n
beten beter kennen lihrt. — Ach süh', Lischen is
ok hier, hew ik boch, God dam, ganz äwer weg=
seihn."

Lischen müß natürlich äwer besse Nichtbeach=
tung webber blag anlopen; un as Jobst sik an=
schickte, vör hüt bi Jochen tau blieben, benn
hei halte ahn bat Jochen em bat heiten beb, be
Sluckbubbel, Mettwust, Brod un Bobber ut't

Eckschapp un nöhbigte. Jochen und Lischen grahb, as wenn hei dor tau Hus hürte, taum Sitten un Taugriepen; da tröck Lischen sik taurügg, indem sei seggte:

„„„Ik dank, ik hew kein Tied mihr.""" Sei schöw af as 'n begaten Pudel, pickblag in't Gesicht. Buten schimpte sei gräsig up Jobst, dat de dor nu ok grad twischen kamen müß, da sei binah gewun'n Spill harr, un schimpte ok up Jochen, dat de so dumm wir un nich inslagen ded in be Hand, be sei em henreckte; nu was ehr Arbeit vun hüt Morn jo binah ümsünst, un dat harr ehr so väl Müüh köst!

Jobst att irst mit recht gesun'n Apptit un höll Jochen noch en lang Kapittel äwer ben Junggesellen= un Ehstand, wat Jochen äwer all nich recht inseihn wull; hei meinte as all be Annern: Äten, Drinken, Arbein un Friegen möt sin, Jetten künn doch noch mal sin Fru warden, un bet in den Schinken, dat dat Fett dorvun fleigen ded.

„Wat wull denn dat oll lütt Ding hier?" frög Jobst, as hei inseihg, dat all sin Prebigten nix nich helpen ded un nu ok all 'n tämliche Wiel sik man blos mit dat Fröhstück unnerholln harr, wat em so recht nah 'n Mund snackte.

beten nieglich tau sin, un dat schien em doch de Mäuh wirt, wat Tanten Lischen wullt harr, wiel Jochen so verbiestert utseihg, as hei rin köm. Jochen harr den Fehler, dat hei nix verswiegen kunn, un so köm hei dor denn ok bald mit tau Ruum.

„Dat Di de Hahn hackt!" lachte Jobst, sprüng up un höll sik den Buk, so lächerlich köm em dat vör. „Dat Friegen brickt vun alln Sieden äwer Di in, un wenn Du Tanten Lischen friegen deist, denn frieg ik de oll Kohlsch mit dat halw Og ok noch!"

Nu vertellte Jobst denn, wat Jochen vun de Bliesaaten bevör stünn, un vermahnte em up dat Strengste, sik dörchut up nix nich intaulaten, wenn Tanten Lena em de Kapittel vörlesen deb; denn wenn hei sik ok wat nah Hanne gelüsten laten süll, hei sei doch in sinen Lebe nich kreg, indem dat hei, Jobst, davör upkamen deb un sik, nu nahdem hei sin Verspreken geben harr, ihre uphängen laten wull, as dat mit bitauwahnen, dat Hanne einen annern un nich ehren Krischan friegen deb.

„De hewt mi ehr Vertrugen schenkt," seggte

hei, „un wer mi fin Vertrugen enmal schenkt, vör den gah 'k börch't Für, ehre ik as 'n erbärmlichen Kirl vör em stahn dau."

Jochen müß nu heilig verspreken, nich blos kein Gelüste nah Hanne tau hegen, sonnern ok Jobst in allen Stücken mit bitaustahn, dat sin Schützlinge kaum sekern Ziel kömen. Darup hümpelte Jobst, nahdem hei sik ok noch 'n Enning Mettwust in Popir wickelt harr, ohne dat hei dortau upförrert würd, taufreden af.

Jochen, as hei allein wir, füng wedder an, hen un her tau lopen, un termaudbarste fik, wat dorbi antaufangen wir, dat dat mit em un Jetten doch noch wat warden künn. Hei verföll taulest up den Gedanken, doch mal den Paster Ehrbor üm Rath tau befragen, un mit des' Gedauken sette hei sik nu up't Bedden'n dahl un brusselte sanft un ruhig in. In sinen Drussel kömen em de schönsten Biller vör de Seel; hei seihg fik mit Jetten nuner den groten Lin'nbohm, de vör Kohlhaasens Döhr stünn, sitten, un üm em spälten so'n sös Flaßköpp, de as de Orbelpiepen up enanner solgten. Je, dor spälten ok würklich weck üm em rümmer, äwer dat wiren kein Flaßköpp, dat wiren griese mit lang Swänf'. Jochen satt ok taulest würklich wo nuner; hei

wir bi dat Drufen un Drömen in't Wiwagen
kamen, vun't Bebben'n runnerrutscht un fatt nu
in'n verböwelte verkwatschte Stellung uuner den
Disch be bi'l Bebb stünn; hei harr vorbi wat
ümstött, äwer was ruhig drufen un drömen
bleben, un wi wüllt em dat Glück günnen, wat
hei sik vor taurecht brömte.

So mancher Minsch is blos in be poor Stün'n
glücklich, wenn hei brömt; sobald hei upwakt,
geiht sin Leiben wedder vun Frischen an; drüm
ehre Jeder ben annern sinen Slap!

Dat 4. Kapittel.

Nah Swerin. — Dat fürnehme Gericht, un Susemihl sin Gedanken äwer dat Wurt Fräulein. — Worüm de Sprütten- mannschaft in de Bein kümmt un Susemihl mit Kolumbus tau verglieken is. — Twei Lannslüd. — Susemihl verswinnt un sin Fru leggt en Gelübniß af.

Nah Swerin was be Parol in Kohlhaasens Gehöft. Jehaun sprüng as 'n Kattefel üm dat oll wandschapen Dings bun Kutsch rümmer un späulte un schürte, all wat dat oll Gestell man afhölln wull; as dat g'scheihn wir, da würden be beiden olln Böß striegelt un kämmt, bat sei hochup prusten. Sauber un sein müß Allns sin, benn dat güng nah Swerin.

Tanten Zophie harr baräwer ganz ehr brei- bägig Krankheit vergeten, wir noch ben sülwigen Nahmibbag upstahn, üm nah ben Schinken un be Wüst tau seihn, be ehr leiw Mann mitnehmen süll, benn hei müß doch unnerwegs wat tau sik nich vörseihn deit in des' Wies'.

Unkel Hinnik, as Hauptperson bi all dit, güng blos börch Hus un Hof un äuwte sik darup, woans man in Swerin dahlpebben müß un wie be Kopp bragen würd. De Deinstdirns harru nang tau baun mit Tügutkloppen un Bößen un Stäwelsmeren, dormit wenn be Reis' vör sik gahn süll, dat baun ok Allns prat wir.

Jetten harr irst be Larp hängn laten, as sei hürte, dat sei vun Mubbing un Hus weg süll; dat harr so'n eigenthümlich Hubbelniß bi ehr geben; sei wir noch nie wegwesen. Äwer sei wüß noch nich, wat dat heit, wiet weg tau sin vun Mubbers Brobbschapp mang lüter frömme Minschen, darüm harr sei sik benn ok bald barup hägt, un harr sik in be Bost smeten, un künn nu gor be Tied nich aftäuwen; bet ehr Babbing webber köm uṅ be Reis' vör ehr vör sik gahn künn; sei güng nu ok mit'n grawitetschen Schritt börch Hus un Hof ümmer achter ehru Vaber her, sei müß sik jo doch nu as Stadtbam up bat führnehmsche instudiren. Ja, 't was 'n schönen Taustand bi Unkel Kohlhaas. De Knech= ten un Arbeitslüb stün'n still in Hümpels tau= samen; lachten äwer ehr Herrschaft, beben sik wat tau Pleg un leten Gott 'n gauben Mann sin.

Susemihl äwer harr 'n sworen Kampf tau bestahn, ihre sin beter Hälft dat taugeben deb, dat hei mit nah Swerin reisen künn. Up be Knei harr hei vör sin Kunigunde legen un dun Himmel bet taur Ir' beden: „Kunigunde, min best Kind, ik bring Di ok wat mit!"

„„Ach wat!"" harr sei seggt, „„da kannst Du Kinner woll mit smeicheln, äwer nich mi; un benn, wenn Du mi wat mitbringst, benn möt ik Di irst dat Geld dortau mitgeben, un dat is so gewiß wi Amen in be Kirch, Du kriggst keinen roben Sösling mit, benn Du weist bor nich mit ümtaugahn.""

„Kunigunde! äwer ik bitt Di, wo warb dat utseihn? De Minsch kümmt boch mal in'n Laag, wo hei sin Hanb in be Tasch steken möt, üm benn mit'u Gelbbübel webber taum Vörschin tau kamen; bebenk boch, wo würb dat utseihn, wenn ik benn in ben Gelbbübel keinen Sösling in harr?"

„„Dat geiht mi nix nich an, wo bat utseihn beit; Du kriggst nix un bormit Basta! Wenn Du nu noch reisen wist, benn reis' mit Gott!"" Dorbi breihte bat oll lütt Ding sik kort üm un güng rut.

sik wedder vör'n Kopp un röp ut — natürlich
sacht, man ganz sacht, dormit dat jo Keiner
hüren künn: „O, wat bün ik vör en unglücklich
Minsch, un wat vör Johren en Esel west, mi
so'n Fesseln an be Gliedmaßen tau smeben, dat
ik nich mal 'n Geldbübel ut be Tasch trecken
kann, wo'n Sösling in is!" Darup füng hei
an, mit verschieden Instermente an Sekertär un
Komod rüm tau bibrichen, äwer bat was vergew-
liche Mäuh. Kunigunde höll Allns, wat man
'n Versluß harr, bestännig verslaten, un brög be
Slätels in'n ledern Tasch nuner bat Kleb, wat
sei ümmer irst vun un'n upnehmen müß, wenn
sei wat rut hewn wull; na, bat was jo vör Jo-
seph Susemihl 'n unerlangbores Flach. Geld
was nich anners tau kriegen as börch Kuni-
gunde ehr Hand; be nöhm ümmer glieks, wenn't
Vierteljohr üm wir, den Gehalt in Empfang,
un denn was bat vör Joseph sin Ogen verswun'n.

Susemihl simmelirte lang hen un her, wat
bor woll bi tau baun wir; mit müß hei nu
eenmal nah Swerin, denn bat wir 'n tau schöne
Verhalung vör em. Wenn hei mal 'n ganzen

Dag orer'n poor nich mit sin beter Part in
Berührung kem, dat wir 'n örbentlich Fest.
Hei köm denn endlich sowiet in sin Simme-
latschon, dat hei nah Kohlhaasen gahn wull un
ben dat antauvertrugen, dat hei in Geldnoths-
ümstänn wir un beswegen nich mitreisen künn;
hei wüß recht gaub, worüm die rieke äwer dumme
Bur em mitnehmen wull, dat be em so tau seggn
as sinen Verstand bruken wull un beswegen ot
up alle Fäll nich seggn: „Ja, Herr Susemihl,
denn beit mi dat leb, denn möt ik allein reisen."
Ne, hei würd seggn: „Susemihl, dat schad't em
nich, Geld bruken sei nich; wat sei vertihren un
bruken, dat betahl ik!" Un Susemihl güng
snurstracks hen nah Hinnik un dat köm ok rich-
tig so, as hei sik dat utsimmelirt harr. De riek
Bur sähd:

„Köster, wat glöben Sei? Wenn ik Sei
inladen daun bau, mit mi 'n Reis' tau maken,
denn sünd Sei natürlicherweise min ingeladen
Gast, grad as bi'n Köst, un ingeladen Gäst höllt
man fri bi kultewirten Lüden. Wesen S' man
tan'n Sünnabendmorn hentan achten hier, denn
sall't vör sik gahn."

So, nu was Susemihl ut all sin Gefohr rute,
hei hen nah sin Kunigunde: „„Du hür mal,

Sünnabendmorn hentau achten, denn sall't los=
gahn, un Geld bruk ik nich; Kohlhaas sorgt vör
Alns! Sühst Du, da sporst Du doch wat bi,
nich wohr, un denn büst Du ok nich mihr bös?"'"

„Reis' mit Gott!" sähd dat·oll lütt krätig
Ding kort, „äwer denn brukst Du ok man nich
webber tau kamen!"

Susemihl wüß, dat bit doch man so baben
Harten spraken würd, un beswegen let hei sik
barawer kein gries Hoor wassen, sonnern füng
ok an tau reinefirn un taurecht tau leggn, wat
hei up be Reis' bruken künn.

Un so würd't Sünnabend. Susemihl nöhm
rührigen Afschied vun sin lütt krätig Fru, be
em noch einen bösen Blick mit up'n Weg gaw.
De oll Burs sahg markwürdig nang ut; 'n Zi=
linger harr hei up'n Kopp, ben jedenfalls sin
Großvader ok all bragen harr, un'n spitz un
babeu breid un benn wat langhoorig, mit'u
gabliche Kremp, be an beiden Sieben sik in be
Höcht bögte, mit so'n Swung as be Ankerarms.
Tan ben Haut paßte ganz und gor be blage
Frack mit be lang'n Swänz und mischen Knöp;
be witte West un be lanting Bür bedeckten bat
anner vun ben Köster, wotau be grot ketun'u
Halsbauk ok noch bat Sinig' beb un be spitzen

wat Geliḥrtes erschienen; un wer man en beten Naḥgedanken harr, künn dat surts up'n irsten Blick inseiḥn, dat de Mann in de Klebasch 'n ländlichen Schaulmeister wir.

Jeḥaun satt all stramm und stiw up 'n Buck, so gaud as sin geflickt eng Liweree em dat verlöwte; an beiden Sieden vun em wir'n Kisten un Kasten stapelt mit Lebensmittel un Speck. Hinnik harr sik vör den breitgesetnen 'n niegen Zilinger anschafft, un was nu grad bi, sin Döchting 'n Kuß tau geben un sin Fru Gemaḥlin de Hand tau drücken, de em denn 'ne glückliche Reis' un 'n baldig Wedderkunft wünschen ded, as Susemiḥl lichtfäutig un 'n lütten Triller fleitend anköm.

„Na, Herr Köster," rede Hinnik em fründlich an, „Sei kamen grad tau rechter Tied; nu stiegen S' man furtsens in." — Dat geschaḥg ok un achternaḥ Herr Kohlhaas mit de breid Unnerlipp un den Zilinger in'n Nacken. — „So, nu Adjüs bet 'n Dingstag. Jeḥaun, vörwats!" Dor rullte dat wackellige Gestell hen und Jeder, de unnerwegs man 'n halw Og rinsmieten ded, de kunn gliek an Hinnik sin Lipp un Susemiḥl

richten füng. Wat Wunner, hei harr deſſen
Morn mit 'n nüchtern Liew up'n Weg müßt,
indem dat ſin leiw beter Hälft dat noch hellſch
mit'n Arger an deſſen Morn kregen harr un
em beswegen abſlutemang keinen Koffe harr
kaken wullt, un wiel ümmer Allns nuner Sluß
wir, hei ſik ok ſülwſt keinen beſorgen kunnt
harr.

Hinnik markte dat Knurren in Suſemihl
ſinen Maagen un wüß, wat dat tau bebüben
harr; hei röp Jehaun tau, ſtilltauholln, un de
Kiepen mit Lebensmittel wür'n vun'n Buck
runnerlangt; de Geſellſchaft ut de fürnehm Kutſch
ſette ſik in'n Schoſſehgraben unb ſüng ganz ge=
mächlich an tau fröhſtücken, wonah Suſemihl
örbentlich upleben beb un ganz fidel würd, as
be Reiſ' webber wieder güng.

Up be Reiſ' paſſirte nu eben nix Bemark=
bores, as blos ſo'n lütten, vör Suſemihl 'n
beten unangenehmen Vörfall.

As nämlich be Abend heran brök — ſei führ=
ten man wat gemächlich, üm be Pier tau ſcho=

nen, wat jeder Landmann deit — beflöten sei
in Knüttendörp tau blieben. Jehaun spannte
ut un füng an tau futtern; Hinnik un Suse=
mihl drünken irst noch 'n Buddel Bier tausa=
men un leggten sik darup up't Uhr; beide snork=
ten denn ok bald, as wenn teigen Holdsagers in
Eikenknäst rüm hantirten. So gegen Twölfen
würd Susemihl sin Snorken wat lieser un un=
regelmäßiger, man harr em't anseihn künnt,
dat hei in't Drömen wir. Ja, hei drömte dun
Versöhnung mit sin leiw Kunigunde, un dorbi
köm em de lütt Affatz dun ehrn lütten Tüffel
so düdlich dör de Ogen, as wenn dat gor kein
Drom wir, worämer hei sik dermaßen verfiehren
deb, dat hei forsch taurügg treckte, as hei 't üm=
mer deb. Dit Taurüggtrecken was ok kein Drom
mihr, orer de Drom was so lebendig, dat Suse=
mihl dat in Würklichkeit utführen deb; up so'n
Drömen was de oll wormstekig Bettstell nich
inäuwt; knack! seggte sei, un perdauts was Su=
semihl mit sin Middelstück dörch de Bred fulln.
Nu lag hei dor, Bein un Kopp piel tau En'n
un dat anner nah un'nwats; Hinnik grünste mal
in'n Slap äwer den Krach, snorkte äwer ruhig
sin Melodie wieder. De arm Köster künn sik
nich rippeln noch rögen, dat was em rein un=

licher tau liggn köm, wir 't doch noch ümmer 'n
sihr satale Stellung, un em müß nothwenniger=
wies' dat Krüz ganz lahm warden, wenn hei bet
taum Dagwarden so ligg'n süll; dennoch was em
dat sihr tröstlich, dat hei man brömt harr, un
seggte sachten bi sik: „'t is doch beter in dit
dörchbraken Bett allein, as tau Hus in 'n heil
sülwanner tau slagen, un if will leiwer des'
Krüzweihbaag, de if kriegen war, utholln, as mit
'n blag Og up'n Sünnbag rümspazirn.‟ Dat
durte lang, bet hei wedder inslöp un an'n an=
uern Morn harr'n Hinnik und Jehaun beid ehr
Last, den krüzlahmen Susemihl ut dat noch krüz=
lahmere Bedd heruttautahsen, un em mit Oppe=
belbock un so wat intauriewen, dat dat man
einigermaten mäglich wir, de Reis' furttau=
setten.

So köm denn be hochbeint Kutsch so gegen
Middag in Swerin an.

„Wo sall 't utspann'n?‟ frög Jehaun.

Susemihl meinte: „„Tau drei Krüzer in be
Duhrstrat, dor is dat 'n billig loschern.‟‟

„Wat verkihrt dor?‟ frög Hinnik un schöw
be Unnerlipp bet nah börn.

9*

„„O,"" seggte Susemihl, „„so vun uns'
Slag, Landlüd un — "" .

„Dor spann wi nich ut! Susemihl, slagen S'
'n anner Gasthus vör; wo All und Jeder ver=
kihrt, da verkihrt natürlicherweise de riek Bur
Kohlhaas nich; wo Barons un Grafen verkihren,
dor will ik ok luschiren, denn ik kann't natür=
licherweise lasten; ik kann't betahlen!"

„„Na, denn nah *** in de Sloßstrat, dor
is't äwer hellsch fin.""

„Desto beter!" seggte Hinnik, indem hei sik
bet strammer tröck. „Ik kann mi mäten mit
Grafen un Barons, un de Minsch möt sik nich
runner drücken ut srien Stücken; hei möt na=
türlicherweise nah babeu streben, ümmer höger
rup. — Jehaun *** in de Sloßstrat."

„„Sei,"" seggte Susemihl, „„sünd up den
richtigen Weg; ik hew ok so'n Drang in mi,
ümmer nah babeu vörwats tau streben, äwer
min Fru hett mi man ümmer achter an'n Rock=
slippen tau saten un zuppt mi wedder nah un'n,
so dat ik nich recht vörwats kamen kauu. Ik
segg sei, min leiw Herr Kohlhaas, 't is 'n wohres
Krüz, wenu de Fru nich so will wi de Mann;
ik hew mi all alle erdenkliche Mäuh geben, ehr
'n beten höhere Billung bitaubringen, äwer all

be Dichters seggn —""

„Ö prrr!" sähd Jehaun un be Kutsch höll still; tau glieker Tied reten sief bet sös Merkürs an be Wagendöhr herümmer un grawwelten bat Dings apen, kregen Susemihl irst sacht bi be Slefitten un togen em Hals äwer Kopp ut be Kutsch rute, un dunn köm Hinnik ok bran; „Jes," dach be, „bat is jo mal 'ne führnehme Behannlung," un tröck sik ben Rock webber äwer be Schullern räwer, ben sei em bor runner reten harrn bi be Behülflichkeit. En anner Part vun be Markürs smeten unb reten sik mit be Kisten un Kiepen vnn'n Buck rümmer, röken an be Deckels un möken listige Gesichter.

„Susemihl!" sähd Hinnik lies' tau ben Köster, as beib vun hin'n un vun vörn in bat Hotel rinnödigt wiren; „Susemihl, bat Snacken möt't Sei hier natürlicherweise bann, biweil ik mit bat Hochbütsche noch nich so recht kramen kann, un hochbütsch möt einer boch hier natürlicher= weise snacken."

„Das is gewiß!"" sähd Susemihl halwlub, ba= mit hei glief bewiefte, bat hei't kunn. „„Kellnöhr, en Szimmer sür uns Beiben! nich, Herr Kohlhaase, in euem Szimmer können wir bas machen?""

Herr Kohlhaas let 'n unverstänblich „Mm" unb ein verständliches Koppnicken vernehmen.

De Kellner müg woll seihn, dat sin Gäst kein vun de führnehmsten wiren, wenn hei ok gliek sahg, dat de Mann mit de breid Unnerlipp kein Lump wir; hei bröch de Beiden denn drei Treppen hoch nah achtern rut up en bennoch recht fründlich Timmer mit twei Bebben; de anner Trupp Markürs mit Kisten unb Kiepen achteran, grifflachten äwer Susemihl sin lang Rockschöt, de binah up be Treppen nachslepten; denn vör em wir be Klebrock jo ok nich makt. Dat led Fru Kunigunbe nich, bat hei sik wat Nies vun be Ehl maken let, bat kunn ganz gaub 'n Stück Tüg vun'n Tröbler verrichten, un benn paßt bat nich ümmer so, as bat woll möt. Susemihl wir mit besse Sporsamkeit jo ok taufreben; bat heit, hei müß.

As be Kiepen un Kasten in en Eck upstapelt wiren, trullten de anuern Markürs webber af, be äwer vörup gahn was, un ok woll be Oberkellner wesen müg, blew bestahn unb fróg mit 'n deip Reverenz: „Belieben die Herren hier auf Ihrem Zimmer zu speisen, oder speisen die Herren am Table d'hôte?"

Susemihl sin Blick föll unwillkürlich up be

Kiepen in de Eck, wendte darup sik an Hinnik
un frög: „„„Nich war? wi essen am Table
d'hôte."""

Hinnik mök wedder so'n unverständliches
„Mm" un 'n verständliches Nicken, worup de
Kellner sik taurüggtröck.

„Susemihl?" frög Hinnik, as de Minsch
rute wir, „seggn S' mal, wat is denn dat egent-
lich, an Snabelschot äten; wat will de Kellner
dormit seggn?"

„„Snabelschot nich, Herr Kohlhaas, Tafeldod
sähd hei; un seihen S', dat is wat Fins, un
wiel Sei doch so vör den Furtschritt sünd, so
rahd ik dor jo ok man tau; dat Wurt erklärt
sik miner Ansicht nah ganz enfach: Tafel nennt
de führnehme Welt 'n langen Disch, wo so mint-
wegen 'n Stücker twintig Mann an sitten känt;
dod, nu dod mag dorvun kamen, dat de twintig
Mann nu Allns verputzt, wat up de Tafel kümmt;
sei makt de Gerichte dod; seihen S', so erklärt
sik Tafeldod. Wi hewt jo hier noch rieklich vun
dat, wat Seier Fru ut Vörsicht uns mitgeben
hett; doch miner Ansicht nah süht dat gor tau
putzig ut, wenn man as führnehme Manu in so'n
nobel Gasthus sik an mitgebröchte Saken satt ät.
Wat meinen Sei dortau?""

„Natürlicherweise!" meinte Hinnik; „wi ät an Tafelbod; de Lüd füllt seihn, dat ik dat lasten kann."

As de Klock Twölf slög, marschirten denn uns' beiden Gäst runner in den Ätsaal un nöhmen Platz. Tafelbod was irst um Drei. En dun de Kellners langte Hinnik glieks de Spieskort hen un blew stramm achter'n Stauhl stahn. Suse= mihl, de inseihg, dat Hinnik nicht so recht mit't Baukstefirn trecht kamen kuun, sähd:

„„„Erlauben Sie, dat ich es Sie vorlesen thu?"" Un hei las vör: „„„Bouillon mit Klümpfe.` — Sweinsbraten mit Magdeburger Sauerkohl. — Kalwsbraten mit Zwetschen. — Rebhuhn mit Appelkoppot. — Baefsteek mit Eiers. — Karpfen mit Marrettig. — Mm. — Hasenbraten mit saurer Gurke. — Rehbraten mit sauren Zwetschen. — Gänsebraten mit Appel un Zwetschen. — Pflau= menpudding. — Reispudding —"""un süs noch wat.

„Na gut, denn bringn Sie uns dat," seggte Hinnik, de de Kort vör ben Käkenzettel ansahg un all in'n Stillen bi sik seggt harr: „Je, wat so führnehme Lüd doch vör'n Maagen hewen möt."

„„Ja, was belieben Sie?"" frög de Kellner un höll dat Uhr bet ranner.

„Nu, das da," bedübte Hinnik nochmal.

„„Das Alles?"" frög der Kellner verdußt.

„Alles!" seggte Hinnik, un reckte sik bet in'n En'n, as wenn hei seggn wull un wat hei ok in sik dach: „Ik kann't so laften!"

„„De Lüb hier in be Stadt,"" seggte Suse= mihl liesing, as be Kellner afgahn wir, „„be ät doch hellsch männigfach; wenu wi tau Hus mal Plum'n un Klüten äten baut mit'u Stück Speck barin un be Klütensupp vörup, denn meint wi wunner, wat wi all up unsern Disch hewen, un hier geiht bat jowoll in't Hunnerte! — So'n Käkenzettel"" — Susemihl harr be sülwig Ansicht, be Hinnik harr — „„vör enen Mittag? Je, bat is väl!"" Den Köster sie Hart lachte inwennig un sin Tung lickte all üm sinen rasirten Burt rüm; wo sull bat smecken! wo wull hei sik nu mal recht, recht satt äten!

Un bunn güng't los, so'n sös Mann sungu an uptaubrägen, un bat ret gornich af, be ganze halwe Disch würb vull vun Töllern, vun Kümm'n un Dinger sett, bat Susemihl gornich Ogen ge= nang harr, um in all bat Geschirr rintaukieken, un sin Näs nich grot un lang nang wir, um all be schönen Gerüch intausnüffeln.

Hinnik satt bor, un bat würb em tau Maub, as wenn sin Verstand up Reisen gahn wir; wo

füll dat all rin un wo füll't blieben! — Endlich
köm hei doch wedder tau sik un buckte nah Suse=
mihl ran: „Je, segg'n S', äten de führnehmen
Lüd denn all so väl? Dor glöw ik, känt wi doch
nich gegen an."

„„„Ja,"""" fähd Susemihl, „„„de Urt kann wat
laten!"""" Dorbi was hei all in'n Gang, 'n Hauhn
tau trangschiren, un de Schüh löp em bi de
Halsbin'n dahl.

„Na, denn help Gott!" süfzte Hinnik un
krempelte sik de Rocksärmel bet up, „denn will
w' mal seihn, wat sik dorbi maken let."

Bet lang an'n Disch nöhm nu noch 'n Jud
Platz, de sik 'n half Beefsteak un 'n viertel
Rothspohn geben let; de Jud smet alle Ogenblick
so'n schulschen Blick nah de beiden Warsower un
fähd stillswiegens tau sik: „Wo haißt? De essen
woll vor Zehu? — Schregäwer sette sik 'n
Herr mit Fru un drei Döchter un füng ok an
tau lepeln un sik tau vermümern vun de Reis'.
De Herr köm mit den Juden in't Gespräk un
sprök vun Land un Lüd, vun Geld un Course
un sowat wieder, wat denn all woll spraken ward.
Hinnik äwer un Susemihl de fähden gornix, sei
stoppten blos ümmer hellweg rin, un Hinnik würd
all ganz natt vun Sweit, de groten Druppen

stünn' em up Näs un Vörkopp, äwer hei let sik
nich stüren, denn da wir noch 'n gehürig Flach
vör em, wat noch rajolt un eben makt warden
müß. Den schragäwer Herrn sin Frugensvolk
bat süng, as sei up be Beiden upmarksam worden
wiren, an tau kicheln un reten be Taschendäuk
ut be Taschen, üm sei sik vör't Gesicht tau holln,
un be Jud fähd tau ben Herrn, indem hei vun
be Sied schulte: „De Beiden werden noch 'ne
Theirung anstifften in's Land, wenn se lange
leben!" Nu wendte sik be Herr schregäwer an
Hinnik un meinte: „Ihre Familie ist wohl noch
nicht beisammen?" — Hinnik kek up vun'n
Töller un pebbte Susemihl up be Fäut, wat so
väl heiten süll, as: „„Köster, antwurten Sei
mal!"" — Susemihl verstünn benn ok, nahdem
hei doch irst mal unnern Disch keken harr un
sik äwertüggt, bat bat Fautpebben ok würklich vun
Hinnik herrührte.

„Doch, mein Herr, woanßen meinen Sie?"
gaw hei bunn tau Antwurt.

„„O, ich bachte,"" fähd be Herr, „„weil ich
so viele Gerichte und keine Esser sehe."

„J, sehn Si mich benn nich un biesen
Herrn hier? Wir essen ba jo ümmer fix brauf
los."

„O, danke, den habeu wir," antwurtete Suse=
mihl un güng webber forsch up'n Kalwsbraten
los, bat de Funken dorvun stöwten.

'n halw Stüu'n müg nu dit Geschäft woll
so vör sik gahn sin, de Jud wir all lang webber
weg; den gegenäwer Herrn sin Frugens harr'n
Messer un Gabel wegsmeten un wiren rutlopen,
üm sik buten uttaulachen; deils äwer Susemihl
sinen Antoch, deils un am mihrsten äwer sinen
Anstanb un sin Antwurten. De Herr stünn ok
up: „Gesegnete Mahlzeit." — „„Danke!"" —
Da seggte Hinnik enblich, indem hei beip uffsüfzte
un mit·beiden Hän'n sik de Mag rew: „Re, nu
— nu kann 't — nich mihr, un wenn s' mi hier
ok noch vör'n ungebillten Minschen taxireu, —
ik kann'r nix vör. Da möt ein sik boch irst
natürlicherweise bran gewöhnen, bet hei einen
führnehmen Appetit kriegen baun beit. Ik kann'r
nix vör, pûh!"

„„Je,"" seggte Susemihl, „„ik kann nu
würklich ok nix mihr laten; wenn ik bit, wat hier
nu äwerbliwt, so tau Hus harr in en egen Schapp,
wotan min Fru keinen Slätel, wat wull ik mi
benn noch so männigen Dag plegen; wat is

blick, an all den Awerfluß; doch endlich meinte Hinnik, „nu ward 't ok woll bilütten Tied, dat wi an uns' Geschäft denken, binah hew ik vergeten, worüm wi egentlich hier sünd. Je, dat Fürnehmsche, dat höllt denn doch gefährlichen swor."

„„Also, dat Instertut möt wi nu söken. Kellnöhr! kommen Sie mal ran!"" De Kellner köm. „„„Wonehm,"" frög Susemihl, „wohnt hier woll so'n Instertut, wo man so junge Mätens hinthun thut? Vonwegen, dat sie da ein betchen Billung genießen. — Beßahlen thun wi in ens,"" sette hei noch hentau.

„Gleich, gleich, Herr!" sähd de Kellner, löp weg un köm glick darup mit'u Bauk taurügg, wat Susemihl vör'n Urt Huspostill tarirte; de Kellner süng darin an rümtaubläbern un verschiedene Erziehungsinstitute rutegrawweln. Nah Fräulein Feinstich in de Königstrat würd beslaten hentaugahn, nahdem de Kellner noch bekräftigt, dat de dat größte Instertut hewen süll.

Je ja, je ja! Hinuik kunn nich webber vnn'n Stauhl upkamen, so sühr harr hei inpackt, un Susemihl ben güng dat nich beter. Na, dat is

en Anstrich vun Fürnehmlichkeit! Bilütten, bi=
lütten kömmen s' webber up be Bein, un nu
müß Jehaun anspan'n, denn tau Faut wir rein
unmögelich tau gahn.

Jehaun harr sik ebenso gütlich in be Käk
bahn, as sin Herr in'n Spiessaal; dat burte ot
irst 'n schöne Tieb, ihre hei in'n Gang köm, un
as hei prat un be beiden Herrschaften instegen
wiren, ba slenterte hei sik mit sin Pietsch be
Jokeinmütz vnn'n Kopp, bat hei irst webber af=
stiegen müß un sei ut'n Rönnstein grawweln;
un as hei ba webber sitten beb, ba harr hei ben
Tägel falln laten.

„Wat heit benn bat?" röp Hinnik argerlich
ut be Klapp. „Nah be Königstrat tau Fräulein
Feinstich."

„„Ja, Herr," sähb Jehaun mit'u hellsch spitze
Tung; hei harr tau sin Mibbagäten 'n Bubbel
Win up sin Herrn sin Reknung brnnken; sin
Herr harr nichmal an Drinken bacht bi all bat
Äten.

In bes' Verfatung kömen s' benn enblich nah
langen hen un her führen, tweimal wären s'
webber an ehr Hotel vörbikamen, in be König=
strat an.

„Nu, Köster," seggte Hinnik, „Sei weiten jo,

„„Gun Tag! wohnt hier woll Fräulein Fein=
stich?"" frög Susemihl, üm ok recht tau gahn,
so'n öllerhaftige Dam, de up be Dähl stünn.

„Aufzuwarten," seggte be Dam.

„„Un is sie woll zu sprechen?""

„Aufzuwarten," seggte be Oellerige webber.

„„Denn bringen Sie uns mal zu ihr.""

„Sie steht vor Ihnen, meine Herren, womit
kann ich bienen?"

„„Ne,"" seggte Susemihl wat unseker, „„ne,
Sie sünd bas jo nich.""

„Gewiß, mein Herr, Henriette Feinstich
nennt man mich. Sie aber sind vielleicht im
Irrthum —"

„„Hier is doch die Pangschonsanstalt?""

„Ganz recht."

„„Nun, benn muß bas hier jo boch auch
sein? Awer Sie sind bas nicht.""

„Warum benn nicht?"

„„Nun, Fräulein Feinstich hat man uns ge=
sagt."" Hei betonte bas Wurt Fräulein hellsch
stark.

„Das bin ich."

nu nennt sik des' olle Madam noch Fräulein! wenn hier nu alle jungu Mätens so utseiht, denn warden s' sik mal äwer Jetten wunnern, wenn de irst hier is. De gaube Köster meinte, be Titel Fräulein kem blos jungu Damens tau; süs neunte man jo ok 'n oll lebige Dam, wenn sei nie 'n Mann hebb harr: Mamsell; beswegen kunn hei nu nich begriepen, bat bes' öllerhaftige Dam dat Fräulein Feinstich sin künn. Na, all bat Wunnerwarken in be Natur hett'n En'n, un Köster Susemihl köm ok wedder tau sik. Hinnik stünn achter em as 'n Statue vun irgend 'n röm= schen Feldherrn, blos mihr civilisirt, hoch up= gericht't mit be Lipp nah vörwats, ohne einen Lud vun sik tau geben; bat Hochbütsch wull noch ümmer nich gahn, un verrahden wull hei sik nich; beslöt äwer, wenn sei wedder tau Hus wiren, denn furts bi Susemihl Unnericht in bes' Sprak tau nehmen, da hei doch später, wenn Jetten irst hier wir, öster nah Swerin reisen würd un doch nich ümmer Susemihl achter sik hewu kunn.

„„Je,"" seggte be Köster, as hei mit sin

Wunnerwarken tau En'n wir, „denn sünd wir
hier doch recht hineingerahden." — De öller=
haftige Dam kreg dat nu mit't Krazsäuten un
nöhdigte be beiden Herrn in ehr Visitenzimmer,
wo't denn so gefährlich nobel wir, dat Susemihl
sik irst mit'u Taschenbauk hinwats lang sin Kle=
dungsstücken strek, ihre hei sik up den Stauhl
dahlsette, worup hei nöhdigt würd.

De Kuntrakt was denn nu ok bald slaten:
Hinnik sull dat Johr dreihunnert Dahler in
drei Raten betahlen, womit hei denn ok in=
verstahn wir un Allns mit sin unverständlich
„Mm" un sin verständlich Nicken bejahte. Suse=
mihl meinte denn noch, up en poor Schinken un
euige Wüst würd dat den Herrn Vadder ok nich
ankamen; wat de Dam mit'u afgewennt Gesicht,
wat in sihr spitze äwer fründliche Falten trocku
wir, anhürte.

„Na, also in drei Weken trifft die junge
Dame bei Sie ein; Adjüs, Fräulein Feinstichen,
bis up Wiederseihn!"

Hinnik mök dun rügglings, as hei ut de
Stuw gahn wull, ok'n Diener, wobei hei äwer
binah äwer ben Süll söll, wiel de twei Töll
höger wir as de Fautborn. — Vör be Döhr an=
gekamen, wohen Fräulein Feinstich Beide dat

Geleit geben beb, was vun Jehaun mit sin Pier
un Wagen kein Spur tau seihn, be harr doch
solang täuwen süllt, bet sin Herrschaften webber
rnte kemeu, dat harr Hinnik em jo doch ok
seggt. Je, wo wir de Esel nu bleben?

„O," seggte Susemihl, „er verpebbtet woll
seinen Pferden en bitschen bie Füße, wolln man
noch enen Ogenblicking töwen, denn wird er woll
gleichsen kommen." Un sei töwten noch en halw=
Dutzend Ogenblickings, äwer wer nich mit de
Kutsch ankam, dat wir Jehaun.

„Natürlicherweise," seggte Hinnik lies' tau
Susemihl, denn de Dam stünn noch borbi, „möt
wi nu tau Faut uns' Hotel webber upsöken, denn
bat burt mi tau lang."

„„Ja, uns' bliwt nix anners äwer," seggte
de Köster, un nu würd noch mal 'n Diener
makt, wobi Hinnik äwer den Süll hellsch in't
Og söt. De Beiden güngen af un Fräulein
Feinstich müß sik dat Liw holln, as sei allein
wir, un sik bägb utlachen, so'n spaßhaften Inbruck
harrn de beiden Herrn up ehr makt; barup güng
sei in dat Arbeittimmer, wo ehr annern Zög=
liuge, Inter oll lütt Backfisch, seten, un vertellte
be, bat sei nu noch 'ne niege Kammerabin tau=
kregen, un möt all 'n Bild borvun, wat sei nah

fäh, entſmieten beb; ſei mök ok be Bewegungen
vun ben Köſter nah, benn be ſet nie rauhig up'n
Stauhl, wenn hei wat vertellte, hauptſächlich
wenn't 'ne wichtige Sak wir; mök allerlei Fiſa=
mententen in be Luft un rutſchte mit ſin beſtes
Deil ümmer hen un her, woräwer hei vun ſin
Kunigunbe all ſo männig Uhrfteg kregen harr,
wiel ſei 'ne ſporſame Fru wir, un ſo'n Gerutſch
nothwennigerwieſ' be Stäuhl un ok be Büren
nich geſunb ſin künn; be Köſter äwer künn't
boch nich laten, trots ſo'ne föhlbore Ermah=
nungen. — Dat öllerige Fräulein künn bat ſo
brullig nahmaken, bat bat en ibel luſtig Leben
in't Timmer würb, un vör hüt ſik man blos
up't Hanbſlagen un Stauhlrutſchen äuwt würb,
benn bat was nu ok all ſchummrig, beſchickt künn
boch nich recht mihr wat warben.

Hinnik un Suſemihl bwäterten be Strat up
un bahl, hen un her, un löpen binah alle Straten
tweimal börch, blos be nich, be ſei ſöchen. Bi
ſo'n Dwätern warb ein hungrig un böſtig;
Hunger ſpürten beſ' Beiben grabe nich, äwer be
Döſt mök ſik ſihr bemarkbor; ſei müßten in=
kihren in en beliebig Gaſthus, un Hinnik be=
ſtellte glieks 'n Bubbel Schlampanger, benn

10*

Susemihl säh, dat des' Urt de bürste wir, un vun't Dürste müß Hinnik nehmen.

De' tweit Buddel würd ok brögt, un be drübb wir bald ut, denn so'n Gedränk dat müß ein doch lawen, un dat deß Susemihl denn ok ut vulln Harten; un bi dat Lawen müß denn jo ok präumt warden, und so lawten un präumten sei be viert Buddel ok noch ut. Susemihl harr dorbi glieks bi de irst Buddel all dat Handslagen un Stauhlrutschen wedder kregen, dat be Buddels un Gläs up'n Disch ehr Noth hadden, de Balangsirung tau holln; hei sülwst verlür taulețt dat Gliekgewicht un sette sik mit sin sünnbagschen Antoch dats unnern Disch; würd äwer vun Hinnik, de nah den Genuß vun geistige Gedränke ümmer sihr irst un argerlich würd, wedder hervörsöcht, un nu davör wir, dat sei ehr Slapstell upsöken deden; en Nachwächter müß sei denn man ut de Verlegenheit helpen, süs wiren s' gewiß nich trecht sun'n. Indem Hinnik in de Tasch langte, üm ben Mann vör sin Bemäuhung 'n Dahler tau geben, — nuner dem gaw Hinnik in de Stadt kein Drinkgeld, — trillerte Susemihl all be Trepp henan mit sihr wietlöftige Arm= un Beinverschrenkungen; dat Treppenstiegen mök em noch däsiger in'n Kopp,

so hoch stiegen ded, as 't man irgend bequemlich
gahn wull. So, nu stünn hei dor vör 'ne Döhr,
wo't nu rin gahn süll, äwer tau sin Mallühr
was 't ein, de rut güng; nämlich rut up de
Dackrön'n. Susemihl kröp, denn de Döhr was
wat lütt, kröp rut, un as hei buten gewohr würd,
dat hei sik doch woll verbiestert harr, da snappte
de oll zackermentsche Döhr wedder in't Slott, un
vun buten was weder Drücker noch Slätel, de
Döhr wir nich uptaukriegen. Da, Köster, nu
verpuhs Di irst!

Hinnik pulterte ok de Trepp henau, mit de
Unnerlipp vörut, as hei den Nachwächter los wir.
„Drei Treppen," brummte hei vör sik, „dit sünd
nu drei." Dorbi sate hei up den Drücker vun
'ne Döhr un güng rin. „Natürlicherweise,"
seggte hei, as hei bin'n wir, „natürlicherweise,
Köster, so'n Lüd möt 'n nobel behanneln. —
Nah, liggt Sei denn all in be Puch? Dor hett
der Däuwel 'n Licht henstellt un kein' Strikſticken
dorbileggt, un ok nich mal 'n Swammdohs; wo-
mit sall ein dor 'n Licht ankriegen? Verfluchtes
Gesinnel schient ein dit verfluchtes Markürvolk
tau sin —" batsch — harr hei sik bi'n Stauhl

bitau henfett; „bor fitt ein nu natürlicherweife
an be blanke Jr' un kann fin Stäweln noch
nich mal vun be Bein kriegen. — Taum Dunner=
weder! Sufemihl, wo fünd Sei benn egentlich;
worüm antwurten Sei mi nich?" — Je, Sufe=
mihl fatt jo in be Dackrön'n un füng nu nah=
gradens an tau frieren.

Ünner fin argerlichen Sülwstgespräke harr
Hinnik fik benn nu bilütten bet up't Hemb ut=
trocken un grawwelte fik in't Bebb heriu. „Wat,
Sufemihl, harr'n wi benn nich hüt Morn twei
Bebben, un nu hewt uns be zackermentschen
Markürs, bit Volk, fülwanner kwartirt, un hewt
uns be en Bebbstädt wegflept? So'n Wirth=
schaft! nah, benn gahn S' man bet hen." Dorbi
schöw hei fik mit rinner in bat enfläpern Bebb.
De bor inlag, was be Jub vun hüt Mibbag,
be bi fin Beeffteak un finen viertel Rothspohn
Hinuik finen gauben Apptit bewunnert harr un
vör be büren Tieben bang worden wir; as be
fik nu fo bebrängt füht, warb hei natürlich up=
waken, springt piel in'n Er'n mit'n heiben Ge=
schrich: „Gerechter Gott, 'n Einbruch!" —
Hinnik warb gewohr, bat bat nich Sufemihl fin
Stimm is un Sufemihl ok nich fo'n langn Burt
brög, warb ok upspringen un röpt in be Ver=

kriggt Hinnik bi de Kehl tau packen. — „„Für,
Für!"" schriegt Hinnik, un föt ben Juben mit
beibe Arms üm't Krüz, dat't hellschen knaken deb.

So rangelten sei sik benn nu ut dat Bebb
rute, trönnelten sik mibben in be Stuw'herin,
wobi sei ümmer ümschichtig webber schriegten:
„„Für, Für!"" — „Diebe, Diebe!" un benn
be Jub bat 'ok mal mit be grötst Angst kreg un
röp: „Gerechter Gott! er morbet mich, ich büu
'n geschlogener Mann!"

Hinnik sin Fürraupen was un'n in'n gan=
zen Hof hürt worben un be Husknecht was gliek
nah't Sprüttenhus lopen, üm be Sprüttenman=
schaft in'n Gang tau setten, bet bat Für üm sik
griepen kunn. Ok in'n Hus würb be Larm
hürt; be mihrsten Reisenben wiren all tau Bebb
gahn un kömen nu in korten Tüg tau Rum;
Manns un Frugens un Kinner mit ehr besten
Habseligkeiten ünneru Arm, un bat würb en
Gerön'n un Gelop un en Dörchnanner, bat kein
Minsch sin eigen Wurt hüren künn; blos ben
Juben sin „Gerechter Gott" un Hinnik sin
„Für!" bräugten mitunner börch.

„Wo is bat Für!" kümmt 'n Sprüttenmann

be Trepp in'e Höcht un drängt sik börch dat
Gewimmel, ben Slauch all in be Hand achter
sich her slepend. „Für! Für!" hürt man Hinnik
sin Stimm webber; also in dat Timmer! De
Döhr ward gliek in dusend Stücken slagen un
un'n sang'n be Kirls an tau pumpen — klatsch!
prallt be breibe Strahl in be Stuw herin, wo
be Bciben noch in'n Hemb an be Jr' rümtrön=
nelten; un — brrr — brrr — schübbelten sik
Beib un leten los.

„Wo haißt?" seggte be Jud.

„„Dit is mal wat!"" seggte Hinuik un bekek
sik achter un vör.

„Wo brennt's benn?" frögen Verschiebene,
be ehr Reis'efecten un Klebungstücken unner'n
Arm habben, un nich mal sik so väl Tieb nahmen,
bat Nothwennigst antautrecken.

„Ja, wo brennt't? narrens nich brennt!"
seggte Hinnik, „bes' Minsch hett sik hier rinner=
sleken hemlicherwies' in min Bebb, un beswegen
natürlicherweise röp ik Für, üm em los tau
warben."

Nu füng benn Allns an tau lachen, blos be
Jub nich, be was sihr irnst un hellsch falsch;
„„„Wo haißt?"" seggt'e, „„„ich hob mich nicht
geschlichen in sein Bett; ich wohu auf Nr. 18

vor'n 'raus zwei Treppen hoch, und bes' is
Nr. 18. Brrr!"" hier schübbelte hei sik webber
dun wegen de Mattigkeit, denn sin halwlin'n
Hemb klewte em man so an, un dat is in'n
Harwstnacht nix Angenehmes. „„W'rüm schießt
man gleich zu mit de Waffer?"" resenirte hei
noch argerlich, „„kann man nich erscht sehn zu,
ob es ist nöthig?""

De Schreck harr Hinnik nu sowiet nüchtern
makt, dat hei inseihn kunn, dat hei an Alln de
Schuld wir, wiel hei nich up't rechte Timmer
gerahden was, sonnern 'n Trepp niedriger; hei
füng denn nu ok an, sik tau verexküsen, wo-
dun de Jud äwer nix weiten wull; be nöhm
Hinnik sin Klebaschen un smet sei mitsammt
em ut de Stubendöhr in sin krätig Wuth. Hin-
nik sammelte sin Kram denn ok stilling webber
up, slög sik't äwern Arm, sin beiden Stäwels
in de Hand, un schämte sik ganz bannig, binah
be Ogen ut'n Kopp; irstens dat de Lüd nu hürt
habben, dat hei nich hochdütsch snacken künn,
tweitens, dat man em dat doch as 'n Dummheit
anreken müß, wenn hei so anner Lüd ehr Stuw
vör de sinig holln harr. Mit so'n schamerigen
Gedanken steg hei denn noch 'n Trepp höger un
kröp verbreitlich und mißgestimmt, as 'n Minsch

man warden kann, in't Bett; hei seihg gornich
ümsik, dit was em doch tau scharnirlich, nichmal
Susemihl müg hei nuner be Ogen kamen, un
freute sik ok deswegen man dat be gornix seggn
deb un wohrscheinlich all slöp, as wi hei dach.

In't Hotel was t' noch lang lebennig, denn
desse Geschicht wir doch Allen, nter den Juden,
be 'n frisch Hemb antrocken und sik suell webber
in't Bett leggt harr, üm sik vör Verküllung tau
schützen, sihr spaßig, un 't würd noch manch
Buddel Wien in't Gasttimmer up dat Wohl vun
den Landmann brnnken, be ehr so'n vergnögten
Abend bereit't harr. Ok be Sprüttenmannschaft
tügte sik einen, be mit up Hinnik sin Reknung
köm, denn so 'n Narrheit be müß doch mit'n
Geldbuß vun Rechtswegen bestraft warden, un
benn köm't ja up'n Handvull nich an.

Nu mät wi Susemihl mal webber upsöken;
wi hewt em in be Rön'n sitten laten, wo hei
benn ok während be Tied, wo dat mit ben Juden
un Hinnik passirte, ruhig sitten beb; be Larm
un'n un bat Fresen, wat em äwerkamen was,
harr ok sinen Rausch 'n beten verjagt, dat hei
nu mit'n kloreres Og üm sik seihn kunn, un
markte, dat hei twischen twei Hüser babeu in be
frische Luft sitten beb. Da nu be Döhr börchut

Columbus 't insolln is, dat up de anner Sied
ok noch Land.sin müß, vör Susemihl 'n Döhr;
tau des' Entdeckung brukte hei nich äwer'u Meer
tau swömmen, äwer dabeu äwer'n Hahnballen
krupen, anners kunn hei nich up de anner Sied
.gelangn; up des' Sied was wieder kein Luk noch
Döhr.

Susemihl füng denn ok sin Entdeckungsreis'
an un gelangte ok richtig bet dabeu up den
höchsten Sitz vun dat Dack, äwer ganz ut de
Puhs, so dat hei sik hier irst 'n beten besin'n
müß.

„Jes," seggte hei halwlud bi sik, „wenn nu
min Kunigunde mi hier so sitten seihg, wo würd
mi dat gahn, wenn ik webber henaf köm! wenn
sei't nahs man blos nich mihr an min Bür
seihn kann, dat ik hier up't Dack rümmerrangt
hew. Doch wat sall ik dorbi maken, wenn Einer
Mallühr hewu sall, denn het hei Mallühr! Dit
kümmt vun den verfluchten Schlampanger. De
oll sett Kohlhaas liggt nu gewiß all in gaude
Rauh in't warme Bedd, un ik möt hier fresen
un in Ängsten sweben mang Himmel un Ir'."
— So sprök hei mit sik sülwst und satt dor
as be Pog in'n Maanschien; un be. Maan

ſchiente oł würklich un lüchte em up ſin Ent=
deckungsreiſ'.

As hei nu bor ſatt unb ſił verpuhste, bor
geiht ba ſtill gegenäwer in'n Gebel 'n Finſter
apen, un in bat Finſter kümmt in'n ſtreng'n
Regelſcheh 'n ſlanke bleike Geſtalt taum Vör=
ſchien. „Lieber Monb!" ſüſzte bat in be Nacht
hennt, „Du ſiehſt ſo freunblich auf mich nieder;
o ſchaue auch auf ihn! ſieh in ſein Fenſterlein
unb ſage ihm, baß ich noch ſeiner treu gebenke,
baß mein Herz noch glüht in heißer, treuer Lieb
zu ihm; ſage, baß ich ſo manche heiße Thräne
vergoſſen habe wegen ſeiner, baß er ſo lange
weilt unb ich meine Arme ſo oft vergebens aus=
ſtrecke nach ihm, nach ihm! ach! unb wo er wohl
jetzt ſein mag?"

„„Dor ſitt hei jo!""

„Wo, wo?"

„„Dor babeu up't Dack!""

„Er? Wer?"

De Leiwſter nich vun't lütt bleik Mäten bor
babeu; ne, Suſemihl! un be Stimm würd ok
nich an't bleik Mäten richt, ne, be harr en Ben=
gel an ben annern richt't, be unſern Suſemihl
ut ſin Dackkamer, gegenäwer bicht an't bleik
Mäten, gewohr worben wir, unb be meint harr,

dat Sufemihl dor babeu dat mit't Nachtwanneln kregen; be Bengel harr finen Kammeraden ropen, üm ben ben Nachtwannler tau wiefen; be knun'u nu noch nich gliek wief' warden.

„Dor fitt 'e jo," feggte webber be Erfte, „dor, kiek boch, dor babeu up bat Dack, ganz uppe Spitz!"

„„Jes ja, kiek mal, wo hei dor rieben beit; ne, fegg mal, Franz, füll be Minsch denn woll nu würklich flapeu?""

„Gewiß! füh, wer fett fik denn füs bi nacht= flapen Tied dor babeu up'n Hahnbalken?"

„„De wannelt Nacht! Herr Je, ba möt 'k min Mubbing boch mal wecken.""

„Un ik rop Fritz!"

Dit Gespräk harr benn ok bat bleik Mäten upmarkfam makt, un ok fei verget ehrn Leiwften, wunnerwarkte äwer ben Nachtwannler un röp ok ehr Mubbing unb ehren Brauber an't Finfter. Un'n up be Strat güngn noch enzelne Lüb. „Kiekt dor babeu!" röp Franz, be nu mit Fritz allwebber ut't Finfter kek. „Kiekt, dor babeu fitt Ein un wannelt Nacht! ik hewu tauirst feihn."

„„Herr Je, ja!""

„Gotts ein Dunner, wenn be dor man nich runner föllt!"

„„Ja, Ji möt em man nich raupen."""

Ümmer mihr Minschen versammelten sik; Jeder, de de Strat passiren müß, blew bor irst bestahn un wunnerwarkte, un vun dat Wunner= warken wakten all be Nahwers webber up un keken ut't Finster nah bat Dack rup, weck sogor mit Sperkuckewiets orer Opernkiekers.

„Wat mägt be tau kieken hewu?" bach Su= semihl, be gor nich im geringsten ahute, bat bat up em afgeseihn wir; un hei kröp bet up be ütelste Spitz, bat man em nu irst recht in Ogen= schien nehmen kunn.

In't Hotel, wo sei noch meistens All up wiren vun ben irsten Schreck, würb bat benn nu ok webber lebennig un Allns löp Trepp up nah'n Bähn, üm bor ut be Luk ben Nachtwannler ge= nau tau seihn. De Wirth natürlich kek ok ut, up be Sieb, wo Susemihl richtig bacht harr, bat bor 'n Ingang sin müß. As be nu eben ben Kopp rntsieken hett, röpt Susemihl em tau: „Herr Wirth, sagen Sie mich boch blos mal, worüm kieken bie Leute bor nuneu ümmer so an ihr Haus raufe, is bor was an passirt?"

„„Sie plagt ber Teufel!""" röp be Wirth ärgerlich; „„„nach Ihnen guckt ja bas Volk. Was in bes Himmels Namen habeu Sie benn mitten

Die Menschen glauben, Sie sind ein Nacht=
wandler, ein Mondsüchtiger. Mein Dach ruiniren
Sie obendrein mit Ihrem Unsinn!"''

„Herr Je, mein lieber Herr Wirth," beswig=
tigte Susemihl, indem hei Anstalt maken deb,
nah be Bähnluk bahltaurutschen; „nehmen Sie't
man nich krumm, ich bitte Sie, warden Sie doch
man nich gleich so argerlichen; sehn Sie, es geht
Allns natürlich zu in der Welt; ja, Allns na=
türlich, darüber habe ich mich mit unsern Herrn
Paster Ehrbor schon manchmal gestritten. — Sie
werden wohl mal Gelegenheit habeu, den Herrn
Pastor Ehrbor kennen zu lernen — ich sage Sie,
Wunner giebt's nich, was in den jetzigen Jahr=
hunnert ein jeder denkende Mensch einsehn sollte,
denn — '

,,,,Machen Sie nur, daß Sie da herunterkom=
men! Hören Sie nich, wie das Volk klatscht?
So was vor meinem Hause! solch'n Skandal!"''

„Ja, ich wollte Sie man sagen, daß Allns
mit natürlichen Dingen zugehn thut, und daß
Sie nicht etwa meinen sollten, ich sei hier auf
unnatürlichen Wegen raufgekommen. Hören Sie
blos, was mich verpassirt is."

„„Ach was, machen Sie nur!""

„Ja, erlauben Sie, wenn ich Sie nicht treten soll, müssen Sie den Kopf en' beten rechtsch holln; — so —." Un somit was Susemihl denn vör de Tauschauers verswun'n un sette blos noch up'n Bähn den argerlichen Wirth dat utnanner, woans hei in so'n mißliche Laag gerahben wir. De Wirth sprök mit'u hellsch verbreitlich Gesicht vun'n anner Gasthof wat mank be Thän un schöw unsern Columbus in Nr. 68 bi ben verschamten Hinnik rin, be piel in'n En'n springn beb un bach: „Nu geiht't webber los mit be Sprütt; wunnerte sik äwer nich slicht, as hei seihg, dat dat sin Reisgefährte wir, be em dor stürte, und freute sik nahs in'n Stilln, dat be vun sin Mallühr nix gewohr worden wir. Susemihl äwer vertellte gaubhartig, wat em passirt, benn hei künn nix in'n Harten vör sik beholln, dat müß ümmer All rut; blos bit nöhm hei sik stark vör: gegen sin Kunigunde vun bessen Vörfall kein starwend Wurt tau seggn, unb beb ok Hinnik, dat hei bor nix vun seggen müg.

Nah besse Unannehmlichkeiten slöpen benn be Beiden besse Nacht sihr unrauhig. Hinnik meinte alle Ogenblick webber ben Juden in'n Arm tau hewen, un Susemihl sahg ümmer ben lütten Af=

satz vun sin lütt Fru ehrn lütten Tüffel; wiel
sin lütt Fru dat doch gewohr worden wir, dat
hei ut Nachtwanneln gahn was.

Nu möt wi blos noch seihn, wo Jehaun denn
eigentlich bleben is. Je, Jehaun, de was vun
dat ungewohnte Gedränk wat buslich un mäuhß
worden, un wat denn vör Wunner, as hei dor
vör Fräulein Feinstich ehr Hus so lang still
holln süll; da wir hei innerbruffelt un brömte
vun luter Winbubbels mit afgeslagen Hälser, un
de banzten up langen gedeckten Dischen hen un
her. Wi hei so brömt', wir 'n Jung de Strat
lankerkamen; Jungs fünd ümmer vull Knäp; wi
de seihn harr, dat Jehaun slöp, makt hei vör de
Pier' ehr groten Ogen so'ne Bewegung, as wenn
hei de Pietsch regirte, unb seggte: „Jüh!" Dat
leten de olln trugen Diere sik nich tweimal seggn
un söckelten in so'n lütten Draw af, de Strat
entlanken, en poor Mal üm de Eck un so taum
Duhr herute; sei wiren jo woll Gott weit wo
wiet lopen, wenn nich be Sulbaten mit vuller
Musik daher getrocken kömen; so wat knun'u be
Warsower Mähren nich verbragen, denn dat
wiren sei nich gewohnt; heidi! sprüngn sei piel
in'n En'n, un as sei markten, dat de Tägel
slaff wiren, bunn güng't los in vullen Draw

äwer Stock un Stein, as wenn sei den Sün'n=
wagen tau trecken un nu in einen Dag üm
de Ir' müßten; Jehaun as Hellios was väl
tau deip weg in sinen Drom, as dat hei vun all
dem wat markte. Grad will de Wagen an de
Kumpeni vörbei, as 'n jung'n Kirl ut de Reihg
springt un mit sichern Griff de Tägel fött; de
Pier' stahn, äwer de Kutsch verliert dat Gliek=
gewicht un süh dah — da liggt de ganz Besök;
Jehaun, de slapende Hellios, de flög in'n goth=
schen Bagen as ut'n Möser schaten — bauts in
den halwvulln Graben. Dat Glaswark an de
Kutsch was in dusend Stücken un Jehaun pudel=
natt. „Nu kiek ein!" seggte hei, as hei sik vun
de Döp vernüchtert ut den Graben rute graw=
welt, „so kann ein tau sitten kamen! Herr Jes,
Gott Stralar! Krischan, büst Du dat? un in
so'n Mundirung, büst Du denn nuner de Sul=
daten?"

„„Ja, as Du sühst."" — De jung Kirl, de
be Pier in be Bucht sprungn wir, was kein Annrer
as uns' lütt Hanne ehrn brawen Krischan. Na,
nu würd wunnerwarkt vun beiden Sieden, bet
sei sik in Korten utnanner sett harr'n, wo s' hier
her kömen. De Leitnannt vun de Kumpani be=
orrerte en poor starke Kirls, be be Kutsch webber

in be hoch Kaut bröchen; Jehaun würd wedder
ruppe set't, üm nah sin Hotel taurüggtauführen,
un benn, as hei Krischan versprecken deb, em in
be Höll, wat 'n Kraug is, wedder uptausäuken,
wo sei denn sik vun ehre Heimath 'n Strämel
vertelln wulln un 'n Bubbel Bier vortau drinken.
Jehaun scherte sik wenig an sine Herrschaften,
hei bröch be Pier' in'n Stall un be Kutsch in'n
Ruum; tröck sik reinliche un bröge Klebasch an,
be hei sik vun'n Husknecht borgte, un güng nah
be Höll, wo hei den Krischan ok all richtig
fin'n deb. Krischan was süs 'n sihr solieden
Minschen un güng nie in'n Kraug, hüt äwer,
üm Jehaun, üm sinen Lannsmann, mök hei 'n
Utnahm.

„Je," seggte Jehann, as sei fast sitten beben;
„wat klebt Di bat enmal nett, ik wull, ik wir 'e
ok nuner."

„„Dat wünsch nich,"" seggte Krischan, „„„irst
is't 'n Plaag un 'n Quälkram un am En'n wieder
nix as 'n Spälkram; ne, lat Di versichern, Je=
hann, ik tröck vun Harten girn dessen staatschen
Rock ut un kröp vergnögt in minen Linnkittel
wedder rin. 't is doch 'n ganz annern Snack,
wenn 'n arbein beit, as wenn 'n spält; vortau
bün 'k all rieklich old, un benn""" — hier süfzte

11*

hei — „„denn so wiet vun sin Dirn tau sin!
Jehann, dat is nir Lütts.""

„Ach wat, Krischan, sett Di' doch be Dirn
ut'n Kopp, be kriggst Du jo doch in Dinen Leben
nich; wat meinst Du, dat de olln Bliesaats ehr
einzigst Kind an'n Knecht vermeiden."

„„Jehann, dat weit ik woll, dat dat so'n
Sak is, äwer wenn Einer Eine recht leiw hett,
süh, denn glöwt hei jewoll, dat be Hewen gel
utseihn ward, wenn hei't girn will. Jehann,
dau mi einen Gefallen; wenn Du tau Hus kümmst,
gah henn nah min Hanne un segg ehr, Du habbst
mi spraken un 't güng mi sihr gaud; 't is twors
nich wohr, denn dat drög Komißbrod smeckt mi
dörchut nich un äwerhaupt — na, dat dröfft sei
nich weiten, süs quält sei sik man noch mihr üm
mi; segg ehr man blos, mi güng't gaud, ik let
ehr ok välmal gröten un sei süll man utholln,
be Tied würd woll wedder kamen, wo ik nah Hus
trügg gahn dörft. — Nu segg mal, wat makt
denn Din Herr hier eigentlich?""

„Je, weit ik't?" seggte Jehann un schenkte
sik frisch in, „ik müß jo hüt Nahmiddag nah
Jungfer Stahlstichen führen, wat sei dor dahn
hewt, dat weit ik nich, un luschern daut wi in
*** in be Sloßstrat."

„„Dunner, dat is jo ein vun't finst· in de Stadt!"""

„Ja, wi warb nu ümmer nobler, dat kannst man glöben!"

„„Is denn Jur Fru ok mit?"""

„Ne, äwer de Köster."

„„Susemihl?"""

„Ja."

„„Je, dat is denn jowoll 'n heil wichtige Sak?"""

„Wenn 't mi nich irrn bau, denn is't üm Jetten; be Diru sall jowoll hoch rut, sei mägt s' jowoll verfriegen willn hier in Swerin. Ik weit dat äwer nich un kümmer mi vor ok nich üm, dat sünd nich min Bohnen."

Unner berglieken Vertellungen löp be Tied hen. Krischan harr sik bet Klock Twölf Verlöw beben, wiel, as hei melbte, hei Besök kregen harr. Jehaun kümmerte sik nich üm be Tied, hei harr sin Mähren be Krüw vull stoppt, be würden woll nich verhungern, wenn s' ok mal nich ehr Recht kregen. So hentau Twölfen möken be Beiden sik benn ok ut'n Stow; Krischan was noch heil vernünftig, benn wi geseggt, hei was 'n sihr soliden Minschen, Jehaun äwer harr sik webber gehürig rinhängt, un mit beffen Getügten

köm hei denn vör't Hotel an, wo nu allwedder
Allns in gaude Rauh wir, natürlich vör'n ver=
slaten Döhr.

„Dat is ein Stück!" brummte hei vör sik,
„slut't sei einem be Döhr vör be Näs tau; un
hier is 't nich mal as tau Hus, wo 'n äwer'n
Knick stiegen un in't Finster klabbern kann."
In bes' Vertwieflung sette hei sik up be steinern
Tritten und druste dor benn, as hüt Nahmebdag
up'n Buck, webber selig in, wo hei denn ok
richtig bet taum Morgen sitten bleven is, wiel
kein Minsch mihr Inlat begehrte un be Nacht=
wächter, de bat Rewir harr, harr sik vun bat
Drinkgeld, wat hei vun Hinnik kregen, 'n ver=
gnögt Nacht makt un sik 'n Düwel üm be Wacht
bekümmert. As man Jehaun nu dor füun, was
hei pickblag sroren un müß mit warm' Krnken
in't Bebb bröcht warden; dortau kreg hei nahst
noch 'n schönen Rüffel vun Hinnik vun wegen
dat Wegführen un de intweiigen Kutschenfinstern.
Äwer wat sall man bi Gescheihnes maken? Mit=
nuner let sik bat webber gaub maken, mitunner
nich; wat sik nu hier webber gaub maken let,
würd bahn, de Kutsch kreg nie Finstern; Jehaun
sin Snuppen gaw sik äwer nich so licht, un
be eigenen Gedanken, be be Hotelbewahners vun

wegtauwischen.

Vör dessen Dag, denn Hinnik nu noch be-
nutzen wull, üm sik be Stadt 'n beten tau be-
seihn, müß hei tau Fant gahn, un dat deb hei
denn ok, wobi natürlich Susemihl em begleiten
müß, de äwerall de ganze Stadt jo kennen wull.
Jeder lachte, wo be Beiden sik seihn leten; be
Jungs möken sik einanner upmarksam; „süh, dat
is be Nachtwannler!" un löpen benn 'n Weg lang
achternah, so dat jeder Minsch dat gewohr würd,
wat Susemihl vör'n Streich in be verleben Nacht
makt harr. —

„In't Hotel ät wi nich webber," seggte Hinnik
so gegen Mibbag, „indem dat wi natürlicherweise
uns' Ler webber nich upkriegen beben, un man
künn benn am letzten En'n marken, dat wi boch
man ganz gewöhnliche Lüd wiren; wi möt uns
up bat Äten tau Hus irst mal inäuwen."

„„Wi hewt jo noch in be Kiepen,"" meinte
Susemihl.

„Ne," seggte Hinnik, „ok bat nich; wi känt
uns äwerhaupt am Daag bor nich weber seihn
laten; irstens üm min — ne üm Seier bummen
Sätz, un tweitens, wiel sei uns benn boch webber

gaud, un Ein' redte Susemihl gor an: „Na, hewen Sei denn oft dat Mallühr, up de Däker rümtaurutschen?"

„„Wo? Nein, das lassen Sie nu man,"" sähd de Köster sihr verbiestert un Hinnik argerte sik bägb äwer desse Erkenntlichkeit; doch sei wiren nu enmal da un müssen nu ok da blieben, harrn äwer noch manch spitzfinnige Reden uttauholln. Hinnik bestellte dat Aten; „äwers nich so viel," sette hei noch hentau in Angst, dat hei wedder sik verrahden müß.

De Nahmiddag löp denn nu so hen, ahn dat wat passiren müß. Abends güngn sei in't Thiater, wo't äwer Hinnik nich gefalln ded, wiel s' der so väl bi sik sülwst snacken deben, wat doch eigentlich man Kinnsche un Verrückte daun. Susemihl äwer was ganz weg in dat Stück, un hei beslöt in sik, nähs ok eint to schriewen, da hei jo all ümmer wat dun'n poetsche Ader in sik spührt harr; hei smet sik ok glieks mit'n Stoff herümmer, de sihr na de Jungfrau vun Orlean smecken ded, oft börchſtubirt harr.

Nah'n Thiater wulln ſei noch enmal in'n
Gaſthus inkihren, äwer ſihr mit Mäßigkeit üm-
gahn, blos en poor Glas Bier brinken, damit
ehr nich wedder wat Unangenehmes tauſtöbten
künn. 't was ok ſowiet Allns recht gaub, blos
der Deuwel müß dor Krakel mang en poor
Diſchergeſelln anſtifften, de nu hellſch upnanner
in't Geſchirr güngn; de äwrige Geſellſchaft nöhm
gedeilt Part, un nu güngt los vun't Schelln
up't Slagen, dat de Stäuhlbein in de Luft rüm-
flögen. Hinnik ſeggte gornix, harr äwer ſinen
Zilinger up'n Kopp beholln, wat nu de fühnſchen
Gäſt woll argern müg, denn de ein nöhm de Fuſt
un bämerte em dor einen drup, dat de Haut
glifs äwer de fürnehme Lipp räwerſuſte un de
Rand up de Schullern tau ſitten köm, dat Hinnik
man nang tau daun harr, ut beſſe Düſterigkeit
ſik heruttauföhlen. Dat kettelte Suſemihl, un
hei mein, dat hei, as Hinnik ſin Rebelsführer,
nu dorwat tau ſeggn müß, ſprüng denn ok up'n
Stauhl un füng an 'ne Red tau holln äwer de
Schändlichkeit vun ſo'n Inſultiren vun frömme
Lüd, de ehr Sak gornix angüll un de ſik dor ok
gornich twiſchen ſteken wulln! — Baff! lag Suſe-

noch blos up uns' beiden ihrlichen Warsower afgeseihn tau hewen, denn nu fülln s' jammerlich äwer Hinnik un Susemihl her, bet de Wach raupen würd un be vormang trebte un be Hauptrebelsführers un ok Susemihl unschülligerwies' sachten mit sik nöhmen. „Kinnings,“ seggte be Köster unnerwegs, „Kinnings! Meine Herrn, sehn Sie mich doch an, sehe ich aus wie so Einer, der Stank macht? Ich bün jo der unschuldigste Minsch vun die Welt, lassen Sie mich doch laufen.“

„„Vorwärts!““ was die korte Antwurt, un en Stodt mit'n Kolben vör sin bestes Stück nöhbigte em, de Bein nahtautrecken.

Hinnik, ben harrn s' so verbisamentirt, bat hei brnn un blag vun twei Wächter in sin Hotel schafft un in't Bebb legt warben müß. As hei recht tau sik köm un nahbach, meinte hei bi sik sihr richtig, bat be Lüd doch 'n schönen Begriff vun em kriegen müssen; un wo nu be oll Suse=

mihl woll noch steken deb; hei wir dat gor nich
gewohr worden, dat de mit de Wacht afführt
worden wir.

„Wenn de dwalsche Kirl man nich webber
up dat Dack sitten geiht," seggte hei bi sik,
„denn geiht dat noch. — Jes, wo möt uns dat
hier gahn! Na, äwer ik mark mi sowat!" Doch
hei kunn börchut nich inslapen, hei müß ümmer
an Susemihl denken, dat be nu noch nich da
wir un mäglicherwies' webber up't Dack set.
„Ik möt doch mal nahseihn;" meinte hei endlich,
un föhlte sik ut dat Bebb rute, trots sin Weih=
daag, de em de Prügeli verursakt harr; hei föhlt
sik ok ut be Döhr rut, de Trepp henup un findt
ok richtig be Luk, wo Susemihl gistern rut=
krapen is; hei makt ganz liesing be Döhr apen
un röpt: „Susemihl! — Köster!" Kein Ant=
wurt; hei stiggt mit bat linke Bein rut, „Köster,
fünd Sei da?" — Noch kann hei nich dat ganze
Dack äwerseihn, un hei treckt bat rechte Bein
ok nah — baff! sleiht be oll dämlich Döhr
webber tau, grad as gistern. — O Jes, wo
würd Hinnik tau Maud! „Ne, Lüd un Kinner,
sowat tau erleben, un benn in'n Hemb!" un
borbi was 't ganz infamtig kolb. Dat wür
Hinnik swart vör Ogen, hei glöwte, be Besin=

wenn s' em hier fün'n. Wat let sik dorbi daun, dat s' em nich fün'n? Nix, rein gornix! un sitten blieben kunn hei ok nich, denn wir hei morgen bob, un bob blieben dröffte hei nich wegen sin Fru un Kind, hei wir de sin Leben schüllig; also blew nix anners äwer, hei müß Skandal maken; de Entdeckungsreis', de Suse-mihl unnernahmen harr, wull hei abslutemang nich unnernehmen; de Lüd up de Strat sülln dat Leiden nich irst noch gröter maken, denn, hei slöt ganz richtig, dat woll Mancher des' Nacht dor rupkieken müg, un würklich harr ok dat bleik Mäten em dor in de Rön'n sitten seihn, as sei grad vör'm Taubebbgahn noch mal ut'n Finster kek. Hinnik füng also ut lnter Ver-twiflung 'n bägbgen Schottschen mit Hän'n un Fäut up de oll Döhr tau trummeln, wat denn ok taur Folg harr, dat dat ganze Hus webber up'n Beinen köm un sik up'n Bähn versam-melte.

Na, wir de Wirth giftern noch nich falsch wefen, denn wir hei 't hüt.

„Mein Herr!" feggte hei, as hei Hinnik in fin bedrängten Ümftän'n bor fitten fahg. „Morgen ziehen Sie mit ihrem Begleiter aus; Sie bringen ja mein Hotel in einen fchlechten Ruf, daß hier kein Menfch mehr logiren mag! Was ift das mit Ihnen? Sind Sie aus einem Narrenhaus entfprungen? Ich habe nicht gern etwas mit der Polizei zu thun, fonft würde ich Sie fofort arretiren laffen! Was fuchten Sie bort und in folchem Aufzuge?"

Hinnik wüß rein nix tau antwurten as: „„Herr, erküs;"" nöhm be Hembsflippen börn tanfam un rönnte, wat hei kunn, be Treppen henaf in fin Timmer un flöt ratfch achter fik tau. O, wo was em tau Maub, wo was em tau Sinn! Mit fin Fürnehmlichkeit wir hei nu heil un beil börchplumft, un bat köm man blos bun ben verbreihten Köfter her; wat harr be verleben Nacht bor tau föken habb? benn wir em bat jo nich infalln, bef' Nacht bor ruttaukrupen, un wir nich in fo'n Mallühr geraden.

De Slap blew natürlich rein weg, un langfam, langfam in Dobsqual güng be Nacht

nu so'n Gericht belöp sik ok tämlich, wat sei'n
Sünndag äten harrn.

Girn un willig betahlte Hinnik, wat sei em
afverlangten, wenn hei man blos irst ut't Hus
rut wir. Man tau, man tau! dat brennte as
Für achter em.

„Jehann, geswinn, geswinn!"

„„Je, äwer wo's Susemihl?"""

„Ach wat, man rut, man rut, be kann nah=
kamen."

Dat burte ok kein fief Minuten, dunn
wackelte be hochbeinte Kutsch davun.

„„Geiht 't nu stracks tau Hus?"" frög
Jehann, indem hei sik ümbreihte un in be
Kutsch rinbölkte, dat dat Jeder hüren künn.

„Ne, nah en anner Gasthus, äwer wo uns'
Urt verkihrt."

„„Na, benn man tau!"" — In brei Krü=
zer würd webber aflab, blos üm noch up Suse=
mihl tau töwen; morgen süll't wieder gahn.

Hinnik äwer wull sik narrens mihr seihu laten, Jehaun müß mit sinen Snuppen nah be Sloß= strat in be Gegend vun't Hotel rüm flankiren, damit hei, wenn Susemihl sik seihn let, em Bescheid seggen kunn, wo Hinnik sik uphöll. — Je, ja, Susemihl wir da nich un köm da nich.

„Jes," seggte Jehann bi sik, „wenn be Minsch man nich unnern Torfwagen kamen is."

„„Ik begriep dat ok nich,"" seggte Hinnik, as Jehann sin Meinung Abends lut gegen em utspröt; „„morgen künnt wi nich mihr up em luren.""

„Äwer wat seggt wi man," meinte Jehann, „wenn wi ahne ben Köster tau Hus kamt? Sin Fru be springt uns jowoll up'n Kopp un ritt uns be Ogen ut't Liw."

„„Ja, dat möt wi benn natürlicherweise borup ankamen laten. De Minsch is boch kein Kind nich mihr, wo kann be sik so ver= biestern?""

De Nacht güng hen un am annern Morgen was be, be nich da wir, Susemihl! „„Na,"" seggte Hinnik, „„Jehann, benn spann an; if kann 'r nix vör."" — Jehann spannte an, un

mit'n hellsch kratzböstig Gesicht nahfragt, ob denn
be Herrn noch nich webber da wiren; un bit
wir enmal un nich webber, dat hei, as ehr Mann,
mitkamen wir, wenn hei nich tau rechter Tied
webber an't Hus sin kunn: — Grad as sei am
annern Dag nu webber mit'n grugelichen Arger
tau Hus gahn wull, süh da! da bögte Jehann
mit sin Fuhrwark üm de Eck. As de Kutsch
still höll, sette sik Fru Susemihlen in Posentur,
beide Arms in be Sied, üm ehren Mann, sowie
hei ut den Wagen steg, gliek mit 'ne schöne
Begrüßung tau empfangen; äwer wo lang würd
ehr Gesicht un wo besniet würd sei utseihn, as
blos Hinnik taum Vörschin köm un wieder kein
Minsch in be Kutsch satt.

"Wo hewt Sei minen Mann laten?" fohrte
sei Hinnik an, as sei sik en beten besun'n harr.
"Wo is Susemihl?"

„"„Ja,""" seggte Hinnik benauht, un wüß

nich recht, wat hei seggn süll; „„ja, be warb woll nahkamen.""

„Wat? Nahkamen? Wo? Woans? Worüm hewt Sei'n nich glieks mit sik bröcht? Sei sünd verantwurtlich vör minen Mann; Sei hewen em verführt!"

„„Je ja, ik kann'r jo natürlicherweise nix vör, dat hei uns afhan'n kamen is.""

Nu fohrte be oll lütt krätig Fru wie 'n Blitz 'n Gebank börch'n Kopp; dat Gewäten füng an, sik tau rögen; wenn ehr Mann nu utknepen wir, wiel sei em, bat müß sei sik hüt sülwst seggn, wiel sei em nich ümmer so behannelte, as sei 't em woll schüllig wir; wenn em nu be Grugel ankamen wir, webber taurügg tau reisen, un hei wieder in't Land, wull gor nah Amerika gahn wir? Des' Gebank preste ehr 'n poor Thränen in be Ogen, un sei füng an tau lamertiren: „Jes, Jes, wat is bit! wat is bit! Nu kümmt hei jo woll gor nich webber un ik bün 'n armselig, verlaten Fru! Seggn S' mi be Wohrheit, Kohlhaas, ik bitt Sei drüm, seggn S' mi, wo is min Mann? Worüm kümmt hei nich mit Sei taurügg?"

„Fru Susemihlen, Jes, ik segg Sei be Wohrheit wiß un wohrraftig; ik weit nich, wo hei is, hei is mi afhan'n kamen, Maandagabend bi'n Prügeli, wo wi unschülligerwies' mit mang gerahden beden; nahdem hew ik em nich webber seihn."

„Ach du meine Güte!" füng dat lütt Ding nu an; „ach du mein Gott! denn hewt sei em jowoll dod slagen; hei is man wat gebrechlich vun Knaken! O, ik arm Fru, hei was so'n gauben Mann, so hartensgaud!" Dat sähd sei nu taum irsten Mal; süs harr sei em ümmer vun'n slichten Kirl utschulln; äwer so geiht dat ümmer: vör'n Dod bögt be Kirl in be Wörtel nich, nah'n Dod, denn hett dat gor keinen betern geben, as de Selige grade wir; denn will Jeder gaud maken, wat hei verschuld hett; doch denn is't vergewlich Mäuh; wer dod is, de quält sik nich mihr dorüm, wat Minschen daun un laten. — Na, Fru Susemihlen beweinte nu ehren Mann as 'n ihrsame Wittwe, un tersmölt't ganz in Weihmaud un Kummer; kein Minsch wull dat gelingen, ehr tau trösten; sik sülwst leggte sei dat Gelübniß as: wenn hei würklich nich dod wir, wenn hei webber köm, denn wull sei em be beste Fru vun de Welt sin, un wull ok blos darup sin'n, wo sei em dat Leben versöten künn, wenn hei blos webber kem! — Nah Kohlhaas nich tau schaden kamen. O, be arme Fru!

Dat 5. Kapittel.

En Breif an Paster Ehrbor. — Susemihl unner de Durn-
heck, un woans sin Fru em upnimmt. — Jetten nimmt
Affchieb, Wubbing but Slösser in be Luft un kümmt dorbi
up'n Meßwagen tau sitten. — Krischan lift in't gelobte Land,
un as hei recht tauführt, is't 'n lebbig Kiep.

———

Noch drei Daag vergüngn, un ümmer let sik
nix vun den Köster seihn; Fru Susemihlen
güng ganz in Swart, un ehr rothverweinten
Ogen bewiesten, dat sei doch würklich en Hart
harr vör ehren Mann, wat süs Jeder betwiweln
müß. — Da am vierten Dag köm 'n Breif bi
Paster Ehrbor an, un as de Herr Paster den
Breif apen brök, was bat Erste 'n grugelichen
Klex, wat em in be Ogen süll, barunner stünn:

Mein lieber, hochehrwürdiger Herr Paster
Ehrbor, Hochwollgeboren!

Denken Sie Sich 'mal wie mich das gehu
thut! greisen Sie mal in Jhren Bausen un

faſſen Sie Sich 'mal an Ihr Herz, ob es nicht
von Mitleid für mich ergriffen ſchlägt, wenn
ich Sie mittheile, daß ich Aermſter unter der
Sonne, ich, Joseph Suſemihl, hier in Schwerin
achter Schloß un Riegel in en Art Loch ſitzen
thue, wo's Licht von Oben kümmt. Daß ich
hier ſitze mit den unſchülligſten Herzen von
die Welt, un nix Böſes mich bewußt bün,
kann ich beſwören, aber man hat mich hier
heringeſmiſſen bun wegen, daß ich ſollte
Schuld ſein an einer Prügeli, wobei man
Einen die Ohren abgeriſſen hat. Herr Kohl=
haas wird Sie darüber das Nöthige ausführ=
lich mittheilen können, denn der wird woll
aus ſeinen Hut wieder heraus gekommen ſein
un hat geſehn, wie's vörging; was mich abers
am tiefſten kränken thut, das is, daß mich der
Herr Kohlhaas ſo ſchändlich in'n Stich ge=
laſſen hat un ſich nich um mich bekümmern
thun that. Nnu wollte ich Sie man blos
bitten mein lieber Paſter Hochehrwürden, daß
Sie zu meiner Frau gingen thäten un ihr
tröſteten; ſagen Sie aber, ich wäre wohraftigen
unſchüllig an die Sache, un wenn ſie wünſchen
thäte, daß ich wieder an das goldene Tages=
licht befördert werden ſollte, um zu ihr zurück=

nicht, so würde ihr Gatte, as wi ich, 6 Wochen lang smachten müssen un dann unterdessen umkommen, weil ich das Growbrob nich vertragen kann, welches man hier zu essen bekommen thut; sie wird woll nix herrücken wollen, denn mein lieber Herr Paster Hochehrwürden, denn thun Sie mich den Gefallen, thun Sie an mich das Sameriter-Amt ün schießen Sie mich vor; ich will Allns mit Dank abbesahlen wenn ich man erst wieder zu Hanse bün; das kommt blos man, weil meine Frau mich kein Geld mit geben wollte.

Nun leben Sie woll, und grüßen Sie meine Frau, ich verbleibe in tiefster Ergebenheit

Ihr ergebenster

Joseph Susemihl.

Nachschrift.

Sehen Sie abers zu, wenn Sie zu meiner Frau gehen, daß sie gut aufgelegt is, sonst möchten Sie was Unangenehmes mit ihr erleben; un denn sagen Sie von der Prügeli fahren hat.

Der Obigte.

Na, be Herr Paster kunn benn vor woll nich ümhen, hei müß nah Fru Susemihlen un ehr vun be Uperstahung vun ehren Mann berichten; hei möt sik benn ok gliek up be Söcken.

Fru Susemihlen satt grad vör ehren Drah= kasten un harr 'n Bündel vergelte Breif vör sik liggen, un 'n Fluhs Hoor, un süs noch allerlei Rohritäten ut be Tied her, wo sei noch Brut un ehr Joseph noch Bröbigam wir, un dat oll lütt Krätending harr ganz ehr Krätigkeit vergeten, sei sahg so lammfram un dorbi so verweint ut: de Erinnerung börch besse Saken an jene Tied, be harr ehr angrepen, un be Tied vun damals köm ehr so schön vör, so schön as dat Fröhjohr, wenn be Blanmen un Bläder un Knuppen mit dat en Og in be Welt kieken un liesing fragen: „Künnt wi kamen?"

As be Paster bi be Fru Susemihlen intreden ded, deckte sei geswinn ehr Schört äwer be Rohri= täten un füng an allerlei Knixe tau maken, un füng ok an tau rohren, benn damit söch sei all Lüd tau bewiesen, woväl sei vun ehren Mann höll un holln harr.

mihl, ich habe Ihnen eine fröhliche Botschaft zu
bringen."

„„Von wem, Herr Paster?"""

„Von Ihrem Mann!"

„„„Ach!""" sähd sei un wir binah koppheister
achteräwer schaten, wenn sei nich mit'n Rügg
an'n Drahkasten stahn harr. „„Lebt er noch?"""
lallte sei, un 't let ehr bannig smachtend.

„Ja," seggte de Paster, „Frau Susemihl,
Ihr Manu ist frisch und gesund, nur ihn hat
ein kleines Unheil betroffen, wosür er, wie er
schreibt, nichts kann."

„„„Er schreibt? und mich, seine Frau läßt er
in Smerz vergehn? Warum schreibt er nich an
mich? Ich gehe ihn doch nöger an as wi Sie?
Was? das ist jo 'n infamiger Kerl!"" De
Krätigkeit bröck webber bi ehr börch; sei nöhm
bi be letzten Würt be Rohritäten, rakte sei mit
beiden Hän'n tausamen un smet sei in einen
Klumpen in'n Drahkasten rin. „Dat is jo un=
erhürt! ik bewein ben Kirl hier mit'u truges
Hart, un hei is so slicht un lewt? Hei lewt
un let nix nich vun sik hüren?"""

„Frau Susemihl," beswichtigte de Paster, in=

dem hei be Hand up ehr Schuller leggte, „Sie
sehen Alles gleich von der schwärzesten Seite
an und verbittern dadurch sich und Ihrem Manne
das Leben. Wenn Sie mich ruhig anhören
wollen, so werden Sie besser von Ihrem Manne
denken. Sehen Sie, unschuldigerweise ist er in
eine Sache verwickelt worden, was jedem Men=
schen passiren kann, er ist aus Versehen arretirt;
bei der Untersuchung wird es an Zengen ge=
mangelt haben, und Ihr Mann ist zu fünf
Thaler Strafe verurtheilt worden; da Sie ihm
nun die Mitnahme von Geld verweigert habeu,
hat er vorläufig sich der Gefängnißstrafe unter=
ziehen müssen. Früher etwas von sich hören zu
lassen, ist ihm wahrscheinlich nicht möglich ge=
wesen, es ist nicht gleich jedem Gefangenen er=
laubt zu corresponbiren; an Sie wagte er nun
endlich nicht zu schreiben, weil er durch ihr
übereiltes Handeln leider eine kindliche Scheu
vor Ihnen hat, deshalb wählte er mich zu seinem
Fürsprecher, und wenn Sie vernünftig sein
wollen, Frau Susemihl, so machen Sie Ihrem
Manne keine Vorwürfe über das, wozu er selbst
nicht kann; Ihr Herz hat Ihnen doch in diesen
Tagen, die Sie als eine Prüfung ansehen kön=
nen, gesagt, daß es warm für ihn schlägt. Also

wegen der fünf Thaler?"

„„So'n Dummheit! so'n Nachtmützigkeit!
ik bor vun de Schandoren upgriepen tau laten.
't 's mi doch in minen Leben noch nich paffirt,
un so'n Streich sall ik nu wedder gaud maken?
Herr Paster, wenn nich de Schan'n vun minen
Mann up mi mit äwergüng, ik let em sitten!
Dat nimmt mi gor nich Wunner, dat 's em in=
spun'n hewt; unschülliger Wies'? dat is nich
wohr, ik kenn' em, hei möt de Näs äwerall mit
mang hewen, bet hei s' sik verbrennt. Ik let
em wohrraftig sitten! Wat, meint hei, dat wi
de sief Dahler man so hentaufmieten hewt? Wi
mät uns inschrenken, dat weiten Sei, Herr
Paster; uns waff't dat Geld nich up'n Puckel!"""

„Aber bedenken Sie doch, meine liebe Frau,
Ihr Mann kann doch nicht sitzen bleiben? Welche
Schande wäre das auch für Sie, und überdies
geht die Schule nächsten Mittwoch wieder an,
dann muß er unbedingt an seinem Platze sein,
wenn er nicht sein Brod verlieren will. — Sie
waren doch so in Trauer versunken, da Sie
glaubten, Ihren Mann verloren zu haben; wie
sollten Sie nun nicht, von Freude ergriffen, gern
die fünf Thaler bezahlen, um ihn wieder zu

haben? Liebe Frau, der Tod ist nicht immer so billig wie dieses Mal; lassen Sie mich nicht glauben, daß Ihre Thränen erheuchelt waren."

„„Nein, Herr Paster, das waren sie nicht; hier sind die fünf Thaler."" — Sei kunn gegen so'ne Red nich gegen an, leggte beswegen zitternd vör innerliche Wuth, äwer mit grote Rauh in't Gesicht den Herrn Paster be sief Dahler hen. „„Besorgen Sie das für mich?"" frög sei mit beberige Stimm.

„Gern!" sähd be Paster un tröck mit dat Geld af. — As be Paster äwer ut be Döhr rut wir, ba steg uns' lütt krätig Fru be Gall in be Lung; be letzte Thran, be noch verschamt up be Back lahg, würd haftig wegwischt, un bunn güng't äwer be unschülligen Breif un Rohritäten her: „Ji, ji Finzels! ji Lappens fünb all Lägen, all niederträchtige Lägen bun ben niederträchtigen Kirl; ik bün jo woll buhn wesen, bat ik juch upbewohrt un bi juch rohrt hem. Da — ba — nu füllt ji nich noch enmal leigen! so — nu!" Dorbi ret sei be arm Swüre un Leiwsteiken, be all vör Ollerswäche binahe utnanner fülln, in bufenb Stücken un proppte sei in'n Aben, bat, wenn taum irsten Mal inbött würb, sei ut'n Schostein fleigen kunn'n. — „So," seggte sei, as weint hewu; Du Racker lest Di as 'n Vagelbunt inspin'n? Giwst Di mang Prügeli un vergist ganz, wat Du vör'n Amt bekleben deist? — De Reis' sall Di slicht bekamen! Paß up! paß up!" Nu rönnte sei dörch Hus un Hof mit fleigend Hoor, un smet un hantier as Einer, de sin beten Verstand verluren hett: de unschülligen Häuhner, de ehr karg Fauber ut de kahle Ir' söchen, würden mit de Fäut stött, wenn sei ehr tau nah kemen; un de arm Deinstdirn, de vor acht Daler Lohn alle hüslichen Arbeiten besorgen un dat Stück Kösterland dortau beackern müß, de würd in den Rügg bufft un in de Hoor reten, wat de, wiel't 'n hellschen Stossel wir, sik Allns gefalln let; dat heit, bet 't Vierteljohr üm wir, länger höll de dümmste Schapenpüster nich bi de Fru Köstern ut, so dat Fru Susemihlen bi alle Mädvermeibers in ganz Meckelnborg all bekannt wir, un dat dägdig swor höll, ehr noch 'n Kreatur, wat bi ehr't versöken wull, tau besorgen.

Unnerdessen dat de Fru Susemihlen so in Led un Bedröwniß swömmt harr, harr Jehann sinen Gruß an lütt Hanne richtig bestellt, harr

äwer, indem hei dat gaub meinte, Hanne Allns
vertellt, wat Krischan em seggt, hei harr nix
verswegen, ok nich dat, dat dat brög Komiß=
brod nich glieben wull; Jehann harr dacht, sei
kann em doch am En'n wat nahschicken, un hei
verbetert sin Laag damit. Jehaun harr't gaub
meint; äwer desse gaube Meinung harr doch bi
be oll lütt Hanne 'n slichten Anklang sun'n;
dat grämte be tru Seel, un quälte ehr, dat ehr
leiw Jung dat nich vun'n Besten güng, wat sei
so girn seihn harr. — De Däskopp vun Jehann!
Uukel Jobst harr nang tau daun, dat hei dat
lütt Dirning man tröst'te, un verspröck ehr,
davör tau sorgen, dat Krischan so oft as mäg=
lich 'n Pund Bobber, 'n poor Eier un'n Stück
Schinken nahschickt kreg; wat benn ok' n annern
Dag all vörsik gahn süll.

Hanne müß einen ganz nüblichen Breif
schrieben, den irsten in ehren Leben, be benn ok
an'n Rand rüm mit'u poor bägbge Dintenklex
recht schön verziert wür, daräwer süht be Leiw
hinweg. Krischan was be glücklichste Minsch vun
be Welt, as be Kiep bi em aukem. Jehann wir
boch so'n Däskopp nich, as hei utseigh; hei harr
äwer ok tau Tanten Lena, be em nah Allns ut=
föhrlich befragt, wat Hinnik in Swerin dahn,

seten un unnerwegs dörch de Bebbstädt braken
wir; Allns harr hei hoorklen vertellt, obglieck sin
Herr em dat streng verbaden.   Je Jehann de
küun enmal nich gaud heit Ätent äten, un wer
nich gaud heit Ätent äten kann, de kann ok nich
gaud swiegen, is'n oll Sprickwurt.

Na, Tanten Lena küun, as wi weiten, ok
nich gaud heit Äten äten, beswegen wüß denn
nu, as be Paster den Breis noch gornich 'mal
kregen harr, all dat ganze Dörp, dat Susemihl
verschwun'n un up't Dack seten, un wat em nich
noch Allns süs passirt wir; so küun dat jo ok
tauletzt gornich anners kamen, as dat dat ok in
Kunigunde ehr lütten Uhren köm, dun wegen
dat Nachtwanneln. „Na, lat em man irst hier=
sin!" seggte sei, „ik will em dat Nachtwanneln
woll verjagen." — Ach, Du arm Kirl, wat heft
vör'n Fru! — Hei satt achter Slott und Riegel,
un wenn hei dor achter rut kem, denn töwte tau
Hüs webber nieges Ungemach up em. Susemihl
was eigentlich tau beduren; 't was noch ein
Glück, dat hei sik äwer Allns sihr licht hen=
wegsetten künn un'n sihr vergetern Kopp harr,
süs müß hei jowoll ok all rein ganz beip=

sinnig worden sin vun all sin Erlewtes un sin
Erwewtes.

Wedder wiren drei Daag vergahn, nahdem de
Herr Paster Ehrbor den Breif kregen harr, da
betahlte Köster Susemihl vör Gericht sin fief
Dahler un kunn, nahdem hei noch 'ne gaude Ver=
mahnung mit up'n Weg kregen harr, gahn; äwer
wo sihr müß hei nu wedder gewohr warden, dat
sin Fru de Kassengeschäfte besorgte, hei harr 'n
lebbigen Magen, un wat noch slimmer wir, 'n
lebbigen Geldbüdel! un denn sös Miel vör sik,
ihre hei tau Hus wir, wo hei sik taum wenigsten
swack satt äten künn. „Dit is nu mal wat!"
seggte hei bebrömt bi sik, as hei in Hotel ***
den Bescheid kreg, dat Herr Kohlhaas all ver=
leben Woch afreist wir, biweil de Wirth em nich
länger harr beharbergen wullt, un nu ok em,
unsern Susemihl, ganz sachten up anstännige
Wies ut de Döhr brängte. „Dit is nu mal wat,
wo möt mi arm Düwel dat gahn! Da süht
man nu wedder, wat de Riekbohm beit: de dicke
Kohlhaas kann ungeschoren aftrecken, un ik
smächtig Kirl möt sitten un kann mi jo woll
min Maag up'n Rügg snören un kamen denn
as 'n verhungerten Köster tau Hus an, wo s'
mi ok woll schön empfangn warden." Hei süfzte

beip up. „Na, ik warr mi in minen Leben nich webber mit so wat bemengelirn, lat em sin Dochter allein besorgen, ik reis' nich webber mit em! Jes, wat hett mi dat belurt! so wat kann ok blos man mi gescheihn. Wat warb min Kunigunde seggn, wenn ik nu tau Hus kam? Vun wegen bat Utblieben un vun wegen de fief Dahler! Sei hängt mi jowoll bi de Bein in'n Schostein." Mit so'n Reden, den Kopp uppe Bost un't Og up de Ir', was hei, ohne bat tau marken, ut't Duhr rut un up de Landstrat gerahben, de nah sine Heimath führte, äwer wat lang wir un — o! wo kurrte de Maag! Susemihl sin Gedanken verfölln up't Borgen, hei müß seihn, woans hei't webber afbragen deb; äwer, wo kein Minsch borgte em wat, wo em Nüms kenute? „Dat is ok so'n Sak! Ach wat" — föt hei endlich Maud. „Gott verlet keinen Dütschen nich, am allerwenigsten einen vun de Geistlichkeit!" wotan hei sik stark reken deb, un jo ok mit Recht, denn ahne Köster is de Paster doch man halw, un de Kirch man en ganz gewöhnlich Hus.

„Ik gah tau minen Collegen," beslöt hei, un in't irste Dörp fragte hei sik nach den Köster, den hei bat nah langen Vörreben bebübte, dat hei em helpen müß. — Na, da wir benn je ok

woll noch 'n Happen äwer un in'n anner Dörp
güng't webber so, bet endlich Susemihl nah drei
Daag in be Gegend vun Warsow, be em bekannt
wir, anköm. 't was so gegen Middag. „Ne,"
seggte hei bi sik, „an'n hellen Middag kann ik
nich inrücken; irstens wiesten be Kinner mit
Finger up mi, un tweitens is min Kunigunbe
benn ümmer am kretelichsten, un in so'n Üm=
stänn kann ik ehr wohraftig nich nuner be Ogen
gahn, ik behöll sowoll kein Hoor up'n Kopp.
Ne, ik will mi hier achter be Heck in'n Schutz
setten, wo't nich tochen beit, un töwen, bet bat
Schummerabend warb." — Geseggt, gebahn; hei
sette sik bahl, wo em kein Minsch wies warben
kunn, achter be Durnheck, un simmilirte äwer
sin Schicksal nah, woans em bat verfolgen beb,
un woans hei webber mit sin Kunigunbe in be
Reihg kamen süll.

Ümmer bet, äwer langsam, sihr langsam, steg
be Sünn an'n Hewen raf, un boch wir unsern
Köster kein Dag so flink henlopen, as bes', un
webber ok keiner so lang worben, as bes'; lang
würb em be Tied, wenn hei bach: „Je ihrer ran,
je ihrer 'van!" nemlich an be Garbinenprebigt,
be em sin Fru holln, unb an ben Tüffel, ben sei em
vörholln würb; kort würb em be Tied, wenn hei

dach, un dat nu man noch so väl Stün'n un nu
man mihr so väl nah wiren, wo't vör sik gahn
müß.

So — dor verkröp sik de letzte Sünnenstrahl
achter den annern Durnrämel. Enen Ogenblick
verstummte Allns up de Ir'. Wenn de Sünn
kümmt un wenn sei geiht, is de Andacht vun
allns Irdische so grot, dat de oll lütt wippelig
Thunkönig sülwst still sitten un de Sparling sin
Piepen let. In dessen Ogenblick süfzte Susemihl
beip up und seggte dunn, indem hei sik mit de
Hän'n stübte, üm uptaustahn: „So, nu man
tau! 't helpt enmal nich, wat möt, dat möt, un
wat nich anners is, dor let sik nix bi daun. Nu
geiht min Kunigunde in'n Stall, üm de Zäg tau
melken, un wenn dat olle Diert hüt nu man
rieklich geben wull, denn is de Sak nich so
slimm as süs, denn is sei am besten upgeleggt.
Also vörwats, Joseph!" un mit dit Komando
güng hei snurstracks in't Dörp, äwer ümmer
achter Schün un Hüser rüm, damit em Keiner
gewohr würd; hei gelangte denn ok richtig vör
sin Hus an. O, wo puckerte em dat Hart, wo
güng't oll lütt Dingschen tau kihr in de Bost,
un wo beberten em de Bein! Ja', hei ded 'n

sworen Gang. Liesing, ganz liesing makte hei
be Husböhr apen, be man vörschaben wir, ganz
up be Thönen slek hei lang be Dähl an be
Schaulstuw vörbi nah be Wahnstuw; hei leggte
bat Uhr an't Slätellock, üm sik vertaugewissern, ob
ok Nüms bin'n wir; ne, bor rögte sik nix, blos
bat tick, tack vun be Stubenuhr hörte hei; sin
Kunigunbe was in'n Stall! Susemihl föt en
Hart, wo hei kein harr un brückte up be Klink,
mök be Döhr halw apen un kek nieping, ganz
nieping üm be Eck, ob ok würklich kein Minsch
ba wir; — ne! — hei rin, äwer stilling, ganz
stilling; zagend un zitternb sette hei sik in be
büsterste Eck bi'n Aben, wo si'n Kunigunbe em
nich glieks wies warben künn, wenn sei rin köm.
Hier satt hei nu webber up Kahlen ber Erwar=
tung un höll be Dumen in be Hän'n, bamit be
Zäg boch man rieklich Melk geben müg.

Wat wir bat? — 'n Emmer würb haftig
bahlsett un'n Ketel in be Eck smeten. „Ver=
fluchtes Diert! frett un süpt nich! kein Wunner,
bat s' kein Melk giwt. Jehanne, wo stickst Du
infamtige Dirn? Ik rahb Di, paß mi beter
up be Zäg, Du Racker! wenn s' morgen nich
mihr Melk giwt, benn kannst Du Di gratelern.‟

„Je, Mabam, wat kann ik bavö —‟‟

verstahn? Is min Mann, de verfluchte Kirl, noch nich da?"

„„Help Gott!"" süfzte Susemihl achtern Aben, „„sei is schön in'n Gang; ik wull, ik wir man noch achter de Durnheck sitten bleben un wir tan'n Steinklumpen worden. — Ach Herr Jes!""

De Döhr würd apen reten. — „Sös Daag sünd nu wedder rüm, sietdem ik dat Geld weg= geben hew, un de Jammerlappen kümmt nich!" Bauts, smet sei 'n Tass' in de Wuth vun'n Disch un trampte mit de Fäut up de Schörten; „so will 'k em trampen, bet hei nich mihr quäken kann!"

„„Ach Du meine Güte!"" süfzte dat achtern Aben rut, „„wo ward mi dat gahn.""

„Mi, sin Fru, hier so verlaten in de Welt sitten tau laten! sik nich üm mi tau bekümmern! gornich, un de verfluchte Zäg — ut de Hut süll man fohren; mi wunnert man blos, dat min Nerven dat utholln künnt."

„„Ach, wenn s' man reten!"" dach Susemihl,

be achter sinen Aben ganz in einen Klumpen
tausam krapen wir, „„wenn s' man reten un
sei füll in Ahnmacht!"" Hei wünsch süs keinen
Minschen wat Böses, äwer in dessen vertwiwelten
Ogenblick let de Angst vör't natt Johr em slicht
denken, un ganz so slicht, as sik dat anhürt, dach
hei doch nich; hei meinte so: wenn sin Kuni-
gunde in Ahnmacht föll, denn künn hei ehr mit
Wedderbelebungsversöke unner de Arm griepen,
un wenn sei denn wedder upwakte, müß sei doch
en lütt Geföhl vun Dankborkeit in sik spüren,
un dit Geföhl minnerte denn de Wuth bi ehr;
äwer ne, sei föll leider nich in Ahnmacht, son-
nern öwte ehr Wuth noch an allerlei unschüllige
Gegenstände ut, as Proppentrecker, Schauh-
anhelper un Stäwelknecht, bet sei endlich in de
Gegend kam, wo uns' arm Worm vun Köster,
den't nu bilütten all blag vör Ogen wür,
sitten ded.

Kunigunde, as sei ehren Mann dor sitten
seihg, blew vör Schreck un Äwerraschung steidel
un stumm bestahn. „Nu geiht's los!" dach
Susemihl, „nu gah er man fründlich entgegen,
utwieken kannst Du nu nich mihr. — Kuni-
gunde!" — Kunigunde seggte nix un rögte sik
ok nich; de lütten dunkeln Ogen äwer schöten

grugeliche Blitze up den arm'n tausamgekrapnen
Ehemann. „Kunigunde!" seggte de noch enmal
un reckte as taur Versöhnung beide Hän'n ehr
entgegen. „Kunigunde, ik hew kein Schuld!"
Nu äwer brök't Gewitter los, un dat gaw en
Dunnern, Blitzen un en Hagelschur, as wenn
de Welt unnergahn süll; wir 't Susemihl irst
man blag vör Ogen worden, so würd 't em nu gel
un grön vör Ogen un tauletzt würd 't em piekswart;
doch hei tröstete sik in Stillu un dach: „Allns
hett 'n Äwergang, so is sei all männigmal wesen,
dit ward ok jo woll vöräwer gahn." Doch dat
süll so bald nich tau En'n gahn; Kunigunde
gaw sik in so'n Angelegenheiten nich taufreden
mit de Red, mit dat Wurt; de Dath müß ok
helpen, un wupdi harr sei ehren Mann bi de
Slefitten, un batsch — batsch fohrte sei em mit
de fief Fingern in't Gesicht, dat dat Für davun flög.

„Du verfluchte Kirl! Du asige Kirl! Du
infamtige Kirl! Du makst mi so'ne Geschichten?
Ik will Di dat Stadtreisen utdriewen!" —
wupdi harr sei den lütten Tüffel vun den lütten
Faut runner, un de lütt Affatz danzte up Suse=
mihl sin unbedeckten un bedeckten Körperdeile
rüm, as wenn hei 'n Schauhsahl wir, de de
Schauhster irst hart kloppen möt.

„„„Kind, min best Kind!"" weimerte Suse=
mihl, as 't em doch gornich afrieten wull,
„„„Kind, schon Di! Du deihst Di wat tau nah,
Du rittst Di de Nerven kaput."" — Doch dat
hürte Kunigunde in ehr Bekihrungswuth nich;
sei dämerte un schüll un rohrte, dat binah dat
ganze Dörp achter ehr Finstern tauhop köm.

„Hoho!" seggte lütt Jöching tau Körling,
„de Köster ward dun't Nachwanneln kurert."

„„Ne,"" seggte Fritzing, „„sin Olsch kloppt
em man den Reis'stoff ut de Jack.""

„Ja, un riwt em nu noch de stiwen Knaken
'n beten smiedig, de hei dorvun biholln hett." —

Endlich, 'endlich reten Kunigunde ehr Nerven
doch intwei; sei let den Tüssel falln, föll sülwst
achteräwer, doch mit so väl Besinnung, dat sei
verlangs up't Sopha orer Kanepeh, as sei seggte,
tau liggn kem.

„Gott Low!" süfzte Susemihl deip up un
strek sin Hoor webber achter de Uhren, wat em
in Verwirrung kamen wir. „Gott Low! Ja,
de leiw Gott hett Allns so weislich inricht, dat
Allns 'n En'n hett; dat is wat Köstliches!" ---
Dorbi langte hei äwer doch glick nah de Water=
buddel un füng an tau speihn un an tau sprütten,
un was sihr besorgt üm sin Kunigunde. Hei

sprök gornix mihr; hei hente sik woll, wat tau
seggen, un so löp denn be Dag hen in stillen
Freden nah den sworen Kampf. Grad as wenn
be Sünn nochmal nah en grugeliches Gewitter
börch be Wulken kikt, un Allns so stilling is,
un sik hägt, dat 't nu boch nich so warm mihr
is; so sahgb bi unsern Köster ut an bessen
Abend.

Bi de Kohlhaasen was 't of 'n hellschen
Taustand — dunnern beb 't da nich. — Sös
Reihsiekens harrn ut be nögste Stadt kamen
müßt, un seten nu un neihten un prünten all
wat dat Tüg man holln wull, denn Jetten müß
boch nah be Mod gahn, un müß of in Alln
vulkamen utrüst sin; bi Fräulein Feinstich, dor
wir 't eklich sin, dat harr Hinnik so sülwst seihn,
un sin Dochter künn boch nich as 'n Burdirn
mang be jungu Dams esestirn; sei müß mit be
Annern gliek klebt sin.

„Nu möten wir uns äwer auch bägbg auf dat
Hochbütsche leggn," meinte Hinnik. „Natür=
licherweise, Du, Jetten, bröffst Dir benn nich

verrahden, dat Deine Öllern man plattbütſch
ſnacken; ſüh, ik hew mi nix marken laten, an
mi ſünd ſei nix gewohr worden. Ik weiß natür=
licherweiſe wi's möt; wenn ik mit dat Hochbütſche
ok noch nich ſo kramen kann, as wi unſ' Köſter,
be oll Eſel möt nu ok ſo'n Streich maken, er
ſollte uns in Prowatſtun'n nehmen; äwers nu
let ſin Olſch em nich tau uns kamen."

„„O, Vater,"" meinte nu Jetten, „„„mit
das Hochbütſche, da laß mich man machen, das
kann ich eben ſo fixing wi der Köſter.""

„Ja," ſeggte Hinnik, „Du büſt ene präch=
tige Dirn!"

Mudding meinte: „„„Dat lihrt ſik ok noch
bet nah, wenn Du man irſt in be Stabt büſt,
un wenn wi Öllern bat ok nich känt, bat beit
em nix; wi ſünd boch wat wi ſünd, un wenn
wi ok up'n Lan'n wahnen. Ik wull bat kein
hochbütſch Dam rahden, mi äwer be Schullern
antauſehn; ik bün eben ſo väl as 'n Gräwin
oxer ſüs wer ein.""

„Na," ſeggte Hinnik, „beter is beter, wi
künnt uns bat jo lichting angewen'n."

De ſös Reihjumpfers börwten nu nix anners
ſnacken as hochbütſch, damit be Fomili Kohlhaas
ſik bor 'n beten nah richten künn. Na, bat wir

kasten habb harr, wo man sihr mäuhsam wat
börchtautrechtern wir.

Indessen löp be Tieb rasch hen. Jetten stek
in be nobelsten Kleber un künn ganz gaub un
girn vör'n gne' Fröln gelln, wenn man blos nich
un'n nah be Fäut seihg, be wat rieklich utwussen
wiren, wat sik eben nich vör'n gne' Fröln schicken
beit; be lütten Hän'n wiren ok nich vör Schosseh=
hanschen berekent, sonnern vör geknütte Fust=
hanschen; äwer bat schabt nir, wer kann gegen
be Natur an? Kein Minsch. Un je gröter be
Faut, je wisser steiht sik bat! je gröter be Hand,
je wisser fött sik bat! also is't ümmer eigentlich
kein Äwel, äwer't argert einem mitunner boch.

De Dag köm heran, wo Jetten Affschied
nehmen müß vun ehr Mubbing un vun Hus
un Hof. Snapplange Thranen würden rohrt,
bi Mubbing in be Schört, bi Jetten in't sein
gestickte petisten Taschenbauk. Baber, be natür=
licherweise sin Döchting henbringen beb nah
Swerin, be stünn borbi un mök be beste Schüpp
vun be Welt. — Jehann satt all mit sin eng
Liwerjeh webber up'n Buck un hägte sik bannig,

mal webber nah Swerin tau kamen, wo't vör em en lustig Leben gaw; unner'n Sitz harr hemlich Hanne Bliesaat 'n bägbige Kiep vull Eier, Schinken un Bodder verladen vör ehren Krischan. Jehann satt as 'n Kluck äwer de Kiep un bewakte sei mit Liw un Leben; dat markte kein Minsch.

Rund üm be Kutsch, be vör be Döhr höll, harr sik dat ganze Dörp versammelt; dat heit, wat bun oll Wiwer, Jungs un Dirns darin wir, üm boch tau seihn, wat Jetten vör 'ne führnehme Dam jetzt wir, un wo ehr bat woll laten beb.

„Holl Di gaud!" seggte Mudding noch tau ehr Dochter, wobi ehr be Thranen ümmer piep=lings längs be Backen löpen, „süh, Du büst uns' einzigst Freud un uns' Stolz, bliew dat ok ümmer, giw Di nich mit All un Jeden af in de Stadt; sök Di ümmer bun be Urt Minschen ut, be bi uns passen daun. Hürst Du? Un benn seih tau, wenn Du uns 'n Grawen orer 'n annern Ebbelmann taum Swiegersähn besorgen kannst, benn hest Du unsern Wunsch erfüllt; so'n groten Koopmann in be Stadt is ok grab nich tau ver=achten, äwer beter is beter, je führnehmer Du verfriegt warst, je grötter Freud makst Du Din

Swab, smeten de beiden Frugenslüd sik gegen=
siedig 'n Kuß in't Gesicht un Jetten seggte:
„„Mudder, Du sast Din Freud an mi hewen.
Lew woll!"''"

„Abjüs, Mudder!" seggte ok Hinnik un de
Reis' güng vör sik.

„Hurrah! Jetten Abjüs! Jetten sall leben!"
röpen de flaßkoppken Jungs un gelzöppgen
Dirns de Kutsch nah, bet sei nich mihr tau seihn
wir. — Fru Kohlhaasen güng in be Stuw, sette
sik up bat gewichste Sopha un füng an tau
brömen vun Tieden, de nah düssen kamen sülln;
sei seihg ehr Dochter all an ben Arm vun einen
Grafen in't Timmer treden, un de Graf sähb:
Guten Tag, Mutter, un sei stünn benn up un
gaw ben Herrn Grafen ok 'n Kuß, un föt benn
ehr Döchting üm un sähb: Guten Tag, meine
Dochter, Fru Gräwin! Nehmt Platz, meine
Kinners! hier, hier; un sei harr bat benn as
oll Mudder Hanksch so hill. En Bild verbrängte
bat anner; sei seihg sik benn ok mal up'n hoges
Sloß sitten in luter Sammt un Sied, as

Swiegermubder vun den Sloßbesitter. De Hof
was lang verköft, un sei wahnte nu bor bi ehr
Kinner, wiel de Herr Swiegersähn dat nich harr
leben, dat sin Swiegeröllern as Buren in't Dörp
wahnten; bor spälten rechts un links ok en poor
Kinner, ok in Sammt un Sied, dat wiren de
Großkinner; un ümmer gröter würden de Groß=
kinner, un güngn tauletzt as Generals un Adje=
banten mit lange Slepbägens vör ehr, de Groß=
mubber, up un dahl un seggten denn — —:

„Fru, wat sitten Sei bor so in'n Däs? Sei
seiht un hürt jowoll keinen Minschen?" dit sähd
kein Großsähn ut de Taukunft, sonnern de
Grotknecht vun jetzt, de mit sin pockenterreten
Gesicht un sin Lehmstäweln in de Stuw rin
trampt wir, ahn dat Zophie dat markt harr. —
„Wat is dat vör'n Wirthschaft?" fohrte de Grot=
knecht wieder, „de Herr seggt gistern, wi sällt
Meß laden, un seggt nich, wo wi em hen führen
sällt; nu hewt wi den Meß tau Wagen un de
Herr is weg; de Wiwer is ok kein Arbeit an=
wiest, wenn't so bi bliwt, denn sall't woll
gahu."

„„Denn lab't den Meß webber af, un de
Wiwer känt sik Arbeit söken, wo weck is!""
seggte be gne' Fru argerlich, denn bat 's ok un=

angenehm, wenn Einer so ut ben schönsten Drom
vun be Welt upweckt un up'n Meßwagen sett
warb.

Brummsch un mürrsch, allerlei mang be Thän
brummelnb, güng be Grotknecht webber ut be
Döhr un leggte sik nahs in't Heu, wo be annern
Knechts all lang verlang legen harrn.

„Wenn't so up'n Hof utsüht, denn geiht 't Barg
bahl!" seggte Jobst, as em bat vertellt würd.
„Mi bangt, mi bangt, bor kümmt ok mal be
Tieb, wo be Geldbübel slapp warb, be Knaken
hewt benn bat Arbein vergeten; wat warb benn?"

Unnerbessen köm Vaber un Dochter in Swerin
an; Jehann kreg be Orer, stracks vör Fräulein
Feinstichen ehr Hus vörtauführen, äwer nich
webber up ben Buck intauslapen, sonnern wakenb
so lang tau luern, bet Hinnik webber rut kem.
— Fräulein Feinstich kennte benn ok gliek unsern
Hinnik webber un füng hellsch führnehmsch an
tau knixen, un heit ehren niegen Zögling will=
kammen, nöhbigte Beib webber in bat Visiten=
timmer, wo Hinnik sehr up ben Süll Acht
geben beb.

„Je," seggte Jetten lies' achter ehren Vabber,
„wat is bat hier bannig fin, mi kümmt bat
örbntlich unhemlich vör."

„„Dat giwt ſik natürlicherweiſe,"" ſeggte
Hinnik eben ſo lieſ' webber trügg; lud ſähd hei
hüt ok noch nix, wiel hei ſik noch ſchamte, mit
ſin Hochdütſch tau Ruum tau kamen. Jetten
müß derwiel vör em reden, un Jetten de ſweg
irſt recht ſtill.

Fräulein Feinſtich de ſüng nu an, Jetten
dat utenanner tau ſetten, woans ſei dat hier ge=
wennt wiren, un woans ſei dat holln beb, wat
ſei all vör Ünnerrichtſtün'n gew, un wo ſ' dat
Nahmiddags ümmer ſpaziren güngen un all ſo
wat, un wull denn nu ok ehren Beſök de annern
Timmers wieſen un Jetten ehr Kammeradinen
vörſtelln; Allns in be ſchönſte Jhrborkeit, äwer
as' de Döhr apen güng, wo de annern oll lütten
Backfiſch ſeten un ſtickten un prünten, da würd
dat mit enmal 'n heil grot Gelach; alle Geſichter
verſteken ſik achter de Arbeit, un ſülwſt Fräu=
lein Feinſtich kunn nu nich mihr irnſt utſeihn,
ſei müß mit lachen, denn ſei wüß, wat dat Lachen
tau bedüden harr.

· De lütten Dirns, de habben ſik all darup
freut, dat niege Fröln kennen tau lihren, un
harrn all ſik allerlei Biller in ehrn lütten Däts
utmalt, woans dat niege Fröln woll uptreden
würd, un wat ſei an harr. Gegen ben Antoch

knun'n sei nu woll nix gegen hewu, äwer Jetten köm mit gor tau verschrabene Knixe, de genau mit be utgemalten äwerein ſtimmten, in be Döhr, dat de lütten Kiekindewelts ſik unmägelich dat Lachen verwehren kun'n; un äwer Hinnik ſineu Anſtand un ſin Puhlipp kunn man ok jnſt nich weinen.

Na, Fräulein Feinſtich müß benn irſt örbent= lich grow warden, üm be lütten Lachers tau ſtüren, ſei wüß dat äwer ſo geſchickt antaufangn, bat Jetten un Hinnik bat börchut nich markten, bat man äwer ſei lachte. Hinnik würd nu mit taum Koſſe inladen, natürlich mit Jetten un Fräulein Feinſtich allein in be beſt Stuw. De Trupp Backfiſch harrn ehr egen Timmer, wo morgen benn ok Jetten rin köm, hüt harr ſei man beſſen Vörtoch.

Vör'n Koſſe betahlte Hinnik irſt, ſo as 't afmakt wir, 'n Drüttel vun bat Pangſchonsgeld. As Fräulein Feinſtich nahs ben Koſſe inſchenkt harr un Hinnik nöhbigte, ſik Zucker un Melk ſülwſt tau bebeinen, köm hei hellſch in Verlegen= heit. „Wat ſall be oll ſülwern Tang bor up ben Sucker?" bach hei bi ſik all, as hei ſitten güng, nu ſüll be Frag löſt warben. „Je, 't is boch narrſchen bi ſo'n führnehm Lüb," bach hei webber, namm dat grötst Stück Zucker mit de sies Finger vun de linke Hand ut de Schaal, klemmte dat darup in de Tang, de hei in de recht Hand höll, un smet dat nu in sin Tass', un Jetten, de genau uppaßt harr, woans ehr Babbing dat mök, de mök dat ebenso nah.

Noch narrscher güng dat Hinnik, as Fräulein Feinstich anfüng, nah allerlei tau fragen, denn dat sahg sei glick, dat sei Hinnik wat beiden künn. Hinnik müß nu antwurten, un trugte sik nich mit sin Hochdütsch lostauleggn, un platt= dütsch tau spreken, dat güng doch nu ganz un gor nich, wat müß de Tam denn woll vör'n Ansicht vun em kriegen? Hei antwurte also ümmer man blos mit „Mm“ un „Ne“, wobi hei nickte un schübbelte, so as 't paßlich wir; wat sik äwer nich dormit beantwurten let, dat müß Jetten beantwurten, nahdem Babbing Döch= ting lies' up'n Faut pedd harr.

Endlich, vör Hiunik en Ewigkeit, Jetten fin'n sik bald darin, Frugenslüd äwerhaupt fin'n sik licht in Allns, wir't mit de Koffe= drinkeri tau En'n un Hinnik was froh, ut dat Hus rut tau kamen; obglick hei gor tau girn wat vun den nobeln Anstrich prometiren wull; hei harr woll all so'n beten vun dessen Anstrich,

äwer dat kunn hei man blos vör dumme Lüd
tau Gülligkeit bringen, deswegen kihrte hei hüt,
nahdem hei Jetten Abjüs seggt un Fräulein
Feinstich 'n hellsch verdwassen Diener makt harr,
in drei Krüzer in, blos üm de Nacht bor tau sla=
pen, am annern Morgen süll't webber tau Hus
an gahn. Mit be Tied, wenn Hinnik nu mal
webber köm un sin Döchting besöch, denn süllt
woll all beter gahn, un denn wull hei ok webber
in'n führnehmsch Hotel awstiegen, äwer ohne
Susemihl, un wull denn ok fröhtiebig tau Bebb
gahn, damit em der Deuwel nich webber rieden
un hei bi'n Juden in't Bebb stiegen kunn.

Nahdem Hinnik sik nu in'n drei Krüzer tau=
rügg trocken harr, bröch Jehann sin Pier un
Rumpelkasten in Sekerheit; grawwelte dorup de
Kiep mit Lebensmitteln dun'n Buck runner, seihg
tau, ob de Breif, be em Hanne geben, ok noch
in't Futter dun sin Jokeimütz sitten deb, un mök
sik up'n Weg nah be Kesern; fün'n denn ok
glieks sinen Lannsmann, un Krischan mök 'n
hellsch vergnögt Gesicht, as hei ben olln ihrlichen
Jehann mit be Kiep ansichtig würd. Ja, Kri=
schan sahg in ben stäwigen, breitschullerigen
Kutscher mit be ruwwerige Näs sinen aller=
leiwsten Schatz, sin smucke Hanne! benn Jehann

bröch seker wat vun ehr. Hanne ehr Würt, de
de oll lütt Rosenmund spraken harr, fülln ut de
breid Kek vun Jehann sin Mundgeschirr rut=
kamen; un wenn dat ok as 'n Beedklock statt
as 'n helle Klingel schalln deb, so spröck doch ut
desse Würt de Geist vun sin Alles! sin söt
Hanne. Na, de Gruß un wat süs noch Münd=
liches vun ehr käm, was denn ok bald gierig
runnersluckt, un Krischan köm ganz uter sik, as
Jehann den Breif unner't Mützenfutter rutföhlte;
„Her!" röp hei, un sin Ogen strahlten, as de
Katt ehr in'n Düstern. Darup wendte hei sik
an sinen Untroffzir: „Herr Untroffzir, o kamen
S' doch mal 'n Ogenblick ran un wesen S' so
gaud un lesen mi dessen Breif mal vör, un denn
wesen S' ok woll nochmal so gaud un setten S'
sik hen un schrieben S' 'n poor Reihgen webber
up; Jehann hett hier ok wat mitbröcht, womit
ik 't webber gaud maken kann."

De Untroffzir rök all, wat in de Kiep wir,
un was denn ok glieks parat, sinen Unnergebenen
den Wunsch tau erfülln, brök den Breif un füng
an tau lesen:

   „Mein bester Schatz un Krischan!
  Du kannst Dich woll benken, was mich die
Seit hier lang werden thut, wiel Du mein

woans es Dich woll geht, un denn sehen mich die ümmer so trurig an, as wenn sie sagen wulln: Krischan geht es slicht! un denn muß ich allemal weinen un das thue ich jeden Abend ehre ich zu Bette gehn thu. Lieber Krischan, die Mutter ist noch immer so stein= pöttig sie quält mich noch immer mit Jochen Pott un will vun unsrer Liebe nix nich wissen; Jobst hat ihr da schon mal 'ne Strafpredigt über gehalten, un Vater sagt auch schon, daß es mit mich un Jochen nichts is, äwer es hilft noch nichts. Jobst sagt, die Zeit macht Allns in de Reihg und wir sollten uns man ganz geruhigen, er wolle schon machen, indem er uns sein Versprechen gegeben hätt. — Ach Krischan, es kostet mich so viele Thränen, das kannst Du mich glauben, denn ich halte so viel von Dich. Sieh auch nich nach annern Mätens in die Stadt un bleib mich treu, sonst vertrink ich mich ehrer als ich sterben thu, Jehann bringt Dich auch was mit, ich wünsche daß es Dich smecken wird, Du brauchst denn doch

nich das trockene Komißbrod zu essen, was
mich sehr bauern thut. Weun ich wieder Ge=
legenheit habe, benn schicke ich Dich mehr;
Mutter weiß es nicht, abers Jobst weiß es.
Nun weiß ich nichts mehr zu schreiben, wenn
Du Dich schon gut stehst mit Deinen Untroff=
zir benn schreibe auch wieder, unb Jehann
bringt mich ben Brief mit. — Deine liebe un
geliebte Hanne, bie für Dich sterben thut."

Krischan kömen bi besse Vörlesung be Thra=
nen in be Ogen, bat sin Drelljackärmel, worin
hei sik afwischte, ganz börchfuchte. Jehaun harr
be Hän'n folgt un in sin groten Kalwsogen
bummelten ok 'n poor grote Druppen, un hei
meinte bi sik: „Dat is boch 'n schön Sak, wenn
Ein' einen so leiw hett; wenn 't webber tau
Hus kamen bau, benn schaff ik mi ok Ein' an,
un wenn't mi ok wat kosten beit!" —

„„Nu baun S' mi ben Gefallen,"" seggte
Krischan tau sineu Untroffzir, be sik all mit ben
Kiepenbeckel tau baun möt, „„„un setten S' sik
hen un schriewen S' ok 'n poor Würt webber,
bormit sei boch süht, bat ik ok noch an ehr ben=
ken bau, un schriewen S' ok, bat ik mi recht
välmal bebauken let vör bat, wat in be Kiep
is. — Nu kumm, Jehann, nu willt wi beib en

beten rümmerströpen, unnerbeſſen be Herr Untr-
offzir ſchriewen beit. Un benn,"" wendte hei
ſik nochmal an ſineu Vörgeſetzten, „„wenn Sei
ſchreben hewu, benn langn Sei man in be Kiep
un ſnieben S' ſik man af.""

„„Gaub, gaub,"" ſeggte be Untroffzir, ſette
ſik hen un ſchrew, während unſ' beiden Lannds-
lüb ſik in be Stadt rümbrewen.

„Je," ſeggte Jehann, as ſei buten wiren,
„weit hei benn all, wat hei ſchrieben ſall? Du
möſt em bat boch woll irſt vörbaukſtevtren?"

„„Ne,"" ſeggte Kriſchan, „„bat is nich
nöhbig; up be Breifſchrieweri verſteiht hei ſik;
hei will woll weiten, wat hei borin ſchriwt; hei
hett giſtern ok irſt einen vör Klas Ohm ſchre-
wen, woräwer wi uns All erſtaunt hewt. Ne,
bat lat man gaub ſin, nahs ſall hei uns em
vörleſen."

Dat geſchahg benn ok, as be Beiden webber
in be Keſern ankemen, un Jehann müß ſik ſeggn:
„Ne, ſo gaub harr em Kriſchan boch nich vör-
ſeggn künnt;" ſtek ben Breif in ſin Breiftaſch,
bat Mützenfutter, un güng mit Kriſchan ſin
beſten Wünſch un Grüße webber nah be brei
Krüzer mit ben faſten Entſluß, ſik ok Ein' an-
tauſchaffen.

Na nu wull Krischan sik denn ok en beten
tau gauden daun; hei harr irst all in be Kiep
rinnerkeken un söhn, dat dor Eier, Speck un
Schinken drin lagg, Saken, de hei binah gor
nich mihr kennen deb, be hei all lang harr ent-
behren müßt, un be doch eigentlich vör'n Min-
schen ganz unentbehrlich sünd, tanmal vör'n
Suldatenkörper, wenn be all be Strapaßen ut-
holln sall, be vun em verlangt warden. Krischan
lachte äwer 't heil Gesicht; hei müg vör bes'
Maltieb woll ibel Schinken un gor kein Brod
äten. Dat Innere vun be Kiep köm em vör, as
bat gelobte Land, orer süs doch so wat Gauds.
Hurrjeh! bat Water löp em all örbentlich an't
Kinn dahl. Dor stünn be Kiep in be Eck; hei
ran! 'n Stauhl borbi, be Kiep mang be Kneien
geklemmt, bat Klappmeß upgeslahn un nu kann't
losgahn, — äwer as hei ben Deckel upslög —
wat nu? — De Kiep wir vull wesen bet baben
an'n Rand, un nu — nu lagg bor man oll
smerig Papier, lebbig Stroh un afgelickt Wust-
fluhs in? — Dat was doch en Schabernack! un
Krischan sin vergnögt Gesicht würd so lang as
wi'n Seipenblas, wenn man forsch pusten beit.
Wer harr bat bahn? Da satt be Untroffzir,
sin Breissteller, mit noch brei Collegen un strö-

pelten sik be Maag, un pusten vör Hitt. Kri=
schan melbte mit suchtigen Ogen, wat em ge=
scheihn. „Woso?" seggte be dicknäsige Untroff=
zir, „hett hei nich sezgt, dat in be Kiep süll if
nehmen as Lohn vör't Schriewen? If hew mi
noch 'n poor Kammeraben inlaben, un wi hewt
vespert! Dat harr hei seggn müßt, dat hei bor
of noch wat bun afhewn wull."

Dah! Krischan stünn bor, as harr em Einer
'n bägbg Mulschell geben, bat em die Uhren
summten. Dat wir boch 'ne Frechheit bun ben
Kirl, un be arm Burs müß ganz still swiegen,
benn be Kirl was sin Vörgesetzte un hei Sulbat,
wenn hei man 'n anner Urt Minsch west wir,
harr hei of nich still tau swiegen brukt, ben 'n
anner Urt Minsch brukt sik nich Allns gefalln
tau laten, äwer 'n gemeiner Sulbat, bat is benn
so wat. — Krischan müß nu sineu brögen Komiß=
brobknust ut't Schapp rutlangn, weinte sin bit=
terlichen Thranen borup un röf borbi in be
Kiep, be boch noch bornach rüken beb, nah bat,
wat bor inwest wir. — Hei was 'n gauben
Minschen, hei günnte girn Jeden wat, äwer bit
was benn boch tau utverschamten! Doch so geiht
bat be Gaubmäuhbigen ümmer, be mät mit an=
seihn, wo anner Lüb sik an ehr Saken satt ät

un mät sülwst hungern; de Welt is nu ein=
mal so.

„Wer nix hewn sall, de kriggt nix!" was
Krischan sin Trost, un hei kante hoch, bet em
de Slap unnerkreg. De letzte Habben blew em
in'n Mund behacken, un hei brömte vun sin
Hanne un verget de Welt un sik, un swömmte
blos noch in sin Glück herümmer. De Drom was
schön, schön wi be Maimorgen mit sin Bläuthen
un Gesang. Ja, be gauben Minschen brömt söt,
un be slichten vun Striet un Gefohr; so hewt
be Irsten doch ok schöne Stun'n up be Welt,
wenn be Stun'n am Dag ehr ok gor tau oft
verbittert warden. In'n Grun'n genamen is jo
Allns man 'n Drom, ob man borbi ümherlöpt,
orer man liggt borbi still up'n Rügg.

Ende des ersten Bandes.

Druck von G. Pätz in Naumburg a/S.

Im Verlage von **Hermann Costenoble** in Jena erschienen ferner folgende neue Werke:

Bickmore, Albert S., Reisen im ostindischen Archipel. **Autorisirte Ausgabe.** Aus dem Englischen von J. E. A. Martin. (Bibliothek geogr. Reisen **IV. Bd.**) Nebst 36 Illustrationen in Holzschnitt und 2 Karten in Farbendruck. gr. 8. Eleg. broch. 2²/₃ Thlr.

Livingstone, David und Charles, Neue Missionsreisen in Süd=Afrika, unternommen im Auftrage der englischen Regierung. Forschungen am Zambesi und seinen Nebenflüssen nebst Entdeckung der Seen Schirwa und Nyassa in den Jahren 1858 bis 1864. Autorisirte vollständige Ausgabe für Deutschland. Aus dem Englischen von J. E. A. Martin. Nebst 1 Karte und 40 Illustrationen in Holzschnitt. Zwei Bände. gr. 8. broch. 5³/₄ Thlr.

Dixon, W. Hepworth, Neu Amerika. Rechtmäßige, vom Verfasser autorisirte deutsche Ausgabe. Nach der siebenten Original=Auflage aus dem Englischen von Richard Oberländer. Mit Illustrationen nach Original=Photographien. Lex.=8. Eleg. broch. 2²/₃ Thlr.

Gerstäcker, Friedrich, Neue Reisen durch die Vereinigten Staaten, Mexiko, Ecuador, Westindien und Venezuela. 3 Bde. 8. broch. 5¹/₃ Thlr.

Schlagintweit=Sakünlünski, Hermann von, Reisen in Indien und Hoch=Asien. Eine Darstellung der Landschaft, der Cultur und Sitten der Bewohner, in Verbindung mit Clima und Bodengestaltung. Basirt auf die Resultate der wissenschaft=

lichen Mission von Hermann, Adolf und Ro=
bert von Schlagintweit, ausgeführt in den
Jahren 1854 bis 1858 im Auftrage der Ostin=
dischen Regierung. Mit 3 Karten, 14 Landschaften
und 2 Gruppenbildern von Eingeborenen in Farben=
druck. **Zwei starke Bände.** Lex.=8. Eleg.
broch. Preis jedes Bandes 4 Thlr. 24 Sgr.

Bastian, Dr. Adolf, Reisen in Siam im Jahre
1863. (Die Völker des östlichen Asiens.) Studien
und Reisen. Dritter Band. Nebst einer Karte
von Hinter=Indien von Prof. Dr. Kiepert.
Lex.=8. Eleg. broch. 3 Thlr. 18 Sgr.

Bastian, Dr. Adolf, Reisen durch Kambodja
nach Cochinchina im Jahre 1863. (Die Völker
des östlichen Asiens.) Studien und Reisen. Vierter
Band. Lex.=8. Eleg. broch. 3 Thlr.

Bastian, Dr. Adolf, Reisen im indischen Ar=
chipel, Singapore, Batavia, Manilla
und Japan. (Die Völker des östlichen Asiens.
Studien und Reisen. Fünfter Band.) Lex.=8. broch.
3 Thlr. 10 Sgr.

Bastian, Dr. Adolf, Reisen von Peking durch
die Wüste Gobi, durch Sibirien zum Ural,
mit Ausflügen in den Kaukasus und die
Krim. (Die Völker des östlichen Asiens. Sechster
Band. Schluß des ganzen Werkes.) Lex.=8. broch.
circa 3 Thlr.

Martins, Charles, Von Spitzbergen zur Sa=
hara. Stationen eines Naturforschers in Spitz=
bergen, Lappland, Schottland, der Schweiz, Frank=
reich, Italien, dem Orient, Aegypten und Algerien.
Autorisirte und unter Mitwirkung des Verfassers
übertragene Ausgabe für Teutschland. Mit Vorwort

von Carl Vogt. Aus dem Französischen von
A. Bartels. 2 Bde. Lex.=8. broch. 3²/₃ Thlr.

Grüel, Carl, Das Haus Morville. Roman
2 Bde. 8. broch. 3 Thlr.

Robiano, L. Gräfin von, Gustav Wasa. Hi=
storischer Roman. 2 Bde. 8. broch. 3 Thlr.

Bibra, Ernst Freiherr von, Aus jungen und
alten Tagen. Erinnerungen. 3 Bde. 8. broch.
3³/₄ Thlr.

Fritze, Dr. Hermann Eduard, Christian Kle=
bauer und Compagnie. Roman. 3 Bde. 8.
broch. 4 Thlr.

Oelbermann, Hugo, Liebe und Brod. Familien=
Roman aus dem neunzehnten Jahrhundert. 2 Bde.
8. broch. 2¹/₄ Thlr.

Ewald, Adolph, Nach fünfzehn Jahren. Ein
Strauß Geschichten. 2 Bde. 8. eleg. broch. 3 Thlr.

Mühlbach, Louise, Deutschland in Sturm
und Drang. Erste Abtheilung: Der alte
Fritz und die neue Zeit. Historischer Roman.
4 Bde. 8. broch. 5¹/₂ Thlr.

Mühlbach, Louise, Deutschland in Sturm
und Drang. Zweite Abtheilung: Fürsten und
Dichter. Historischer Roman. 4 Bde. 8. broch.
5¹/₂ Thlr.

Mühlbach, Louise, Deutschland in Sturm
und Drang. Dritte Abtheilung: Deutsch=
land gegen Frankreich. Historischer Roman.
4 Bde. 8. broch. 5¹/₂ Thlr.

Mühlbach, Louise, Deutschland in Sturm
und Drang. Vierte Abtheilung: Frankreich
gegen Deutschland. Historischer Roman. 5 Bde.
8. broch. 6 Thlr.

Gerstäcker, Friedrich, Die Missionäre. Roman aus der Südsee. 3 Bde. 8. broch. 4 Thlr.

Winterfeld, A. von, Der Winkelschreiber. Humoristischer Roman. 3 Bde. 8. broch. 4 Thlr.

Vacano, Emile Mario, Das Geheimniß der Frau von Nizza. Eine Geschichte aus den letzten Lebensjahren Ludwig des Vierzehnten. 8. broch. 1½ Thlr.

Byr, Robert, Der Kampf um's Dasein. Roman. 5 Bde. gr. 8. Eleg. broch. 6 Thlr.

Wickede, Jul. von, Aus alten Tagebüchern. Im Anschluß an „Eine deutsche Bürgerfamilie". 3 Bde. 8. broch. 4 Thlr.

Gerstäcker, Friedrich, Unter den Penchuenchen. Chilenischer Roman. 3 Bde. 8. broch. 4½ Thlr.

Marr, A. B., Das Ideal und die Gegenwart. 8. eleg. broch. 1½ Thlr.

Höcker, Gustav, Geld und Frauen. Erzählungen. 3 Bde. 8. broch. 3½ Thlr.

Mühlbach, Louise, Marie Antoinette und ihr Sohn. Historischer Roman. 6 Bde. 8. eleg. broch. 6½ Thlr.

Mühlbach, Louise, Geschichtsbilder. Historische Novellen. 3 Bde. 8. broch. 2½ Thlr.

Ut 't Dörp. Van'n oll'n Nümärker. Lustege Vertellungen. 8. broch. 1¼ Thlr.

Löffler, Dr. Carl, Die Opfer mangelhafter Justiz. Gallerie der interessantesten Justizmorde älterer und neuerer Zeit. I. und II. Band **oder** erstes bis achtes Heft. gr. 8. 1868. broch. à Band 2 Thlr., à Heft 15 Sgr.

Gerstäcker, Friedrich, Der Erbe. Roman. 3 Bde. 8. broch. 4 Thlr. 24 Sgr.

Bibra, Ernst Freiherr von, Ein edles Frauen= herz. Roman. **Zweite usgabe.** 3 Bde. 8. broch. 3 Thlr.

Kleinsteuber, Hermann, Das Geheimniß der Schatulle. Roman. 2 Bde. 8. broch. 2 Thlr.

Kleinsteuber, Hermann, Schach dem König. Hi= storischer Roman. 2 Bde. 8. broch. 3 Thlr.

Bibra, Ernst Freiherr von, Die Schatzgräber. Roman. 3 Bde. 8. broch. 4 Thlr.

Möllhausen, Balduin, Der Meerkönig. Eine Erzählung. 6 Bde. 8. broch. 6½ Thlr.

Wickede, Julius von, Eine Deutsche Bürger= familie. Nach einer Familienchronik bearbeitet. 3 Bde. 8. broch. 4½ Thlr.

Sacher=Masoch, Leopold von, Der letzte König der Magyaren. Historischer Roman. **Zweite Ausgabe.** 3 Bde. 8. broch. 4 Thlr.

Bibra, Ernst Freiherr von, Erlebtes und Ge= träumtes. Novellen und Erzählungen. 3 Bde. 8. broch. 3¾ Thlr.

Robiano, L. Gräfin von, Anna Boleyn. Histo= rischer Roman. 2 starke Bände. 8. eleg. broch. 3½ Thlr.

Deutsche Schützen, Turner und Liederbrüder, oder: Was will das Volk? Zeitgeschichtlicher Roman vom Verfasser der Romane: „Die Ritter der In= dustrie," „Herren vom Kleeblatt" 2c. 2c. 4 Bde. 8. eleg. broch. 5 Thlr.

Uechtritz, Friedrich von, Eleazar. Eine Erzählung aus der Zeit des großen jüdischen Krieges im ersten Jahrhunderte nach Christo. 3 Bde. 8. broch. 4 Thlr.

Wickede, Jul. von, Die Heeresorganisation und Kriegführung nach den Berechtigungen der Gegenwart. Für denkende Officiere, Staatsmänner und Landtagsabgeordnete. Gr. 8. eleg. broch. 1½ Thlr.

Winterfeld, A. von, Ein gemeuchelter Dichter. Komischer Roman. 4 Bde. 8. broch. 6 Thlr.

Andreä, Wilhelm, Die Sturmvögel. Cultur- und sittengeschichtlicher Roman aus dem Anfange des 16. Jahrhunderts. 2 Bde. 8. broch. 2½ Thlr.

Andree, Dr. Richard, Vom Tweed zur Pentlandföhrde. Reisen in Schottland. Mitteloctav-Format. eleg. broch. 1 Thlr. 22½ Sgr.

Anneke, Mathilde Franziska, Das Geisterhaus in New-York. Roman. 8. broch. 1½ Thlr.

Ati-Kambang, Auf fremder Erde. Roman. 5 Theile in 3 Bänden. 8. broch. 5½ Thlr.

Bacher, Julius, Ein Urtheilsspruch Washington's. Historischer Roman. 2 Bde. 8. broch. 2½ Thlr.

Berlepsch, H. A., Die Alpen in Natur- und Lebens-Bildern. Mit 22 Illustrationen und einem Titelbild in Tondruck nach Originalzeichnungen von Emil Rittmeyer. Vierte, sehr vermehrte und verbesserte Auflage. 32 bis 33 Bogen Lexikon-Oct. **Pracht-Ausgabe** auf feinstem Velinpapier. Vollständig in 9 Lieferungen mit 3 bis 4 Bogen Text und 2 bis 3 Illustrationen in Tondruck broch. à Lieferung 10 Sgr. Nach Erscheinen complet in 1 starkem Bande 3 Thlr. Eleg. geb. 3 Thlr. 22½ Sgr.

Bibra, Ernst Freiherr von, Tzarogy. Roman. 3 Bde. 8. broch. 3¾ Thlr.

Bibra, Ernst Freiherr von, Reiseskizzen und Novellen. 4 Bde. 8. broch. 4½ Thlr.

Bibra, Ernst Freiherr von, Hoffnungen in Peru. Roman. 3 Bde. 8. broch. 3¾ Thlr.

Bibra, Ernst Freiherr von, Aus Chili, Peru und Brasilien. 3 Bde. 8. broch. 3¾ Thlr.

Bibra, Ernst Freiherr von, Erinnerungen aus Süd=Amerika. 3 Bde. 8. broch. 3½ Thlr.

Bibra, Ernst Freiherr von, Ein Juwel. Südamerikanischer Roman. 3 Bde. 8. broch. 3¾ Thlr.

Brachvogel, A. E., Beaumarchais. Ein Roman. 4 Bde. 8. broch. 5 Thlr.

Brachvogel, A. E., Historische Novellen. 1. bis 4. Band. 8. broch. à Band 1½ Thlr.

Brachvogel, A. E., Schubart und seine Zeit=genossen. Historischer Roman. 4 Bde. 8. broch. 5½ Thlr.

Brachvogel, A. E., Theatralische Studien. 8. broch. 24 Sgr.

Brachvogel, A. E., Ein neuer Falstaff. Roman. 3 Bde. 8. broch. 4½ Thlr.

Brachvogel, A. E., Aus dem Mittelalter. 2 Bde. 8. broch. 2¼ Thlr.

Brachvogel, A. E., Narciß. Ein Trauerspiel. Min.=Ausgabe. Zweite Auflage. broch. 24 Sgr. Prachtvoll geb. mit Goldschnitt 1 Thlr. 2 Sgr.

Brachvogel, A. E., Der Trödler. Ein Roman aus dem Alltagsleben. 2 Bde. 8. broch. 2¼ Thlr.

Brachvogel, A. E., Adelbert vom Babanberge. Ein Trauerspiel. Min.=Ausgabe. broch. 24 Sgr. Prachtvoll geb. mit Goldschn. 1 Thlr. 2 Sgr.

Lightning Source UK Ltd.
Milton Keynes UK
UKHW022232140219
337291UK00006B/162/P